Bajarse al moro

Letras Hispánicas

José Luis Alonso de Santos

Bajarse al moro

Edición de Fermín Tamayo
y Eugenia Popeanga

DECIMOSÉPTIMA EDICIÓN

CATEDRA

LETRAS HISPANICAS

1.ª edición, 1988
17.ª edición, 2005

Ilustración de cubierta:
Juan Daniel Tamayo

© Ediciones Cátedra (Grupo Anaya, S. A.), 1988, 2005
Juan Ignacio Luca de Tena, 15. 28027 Madrid
Depósito legal: M. 6.191-2005
ISBN: 84-376-0771-X
Printed in Spain
Impreso en Anzos, S. L.
Fuenlabrada (Madrid)

Índice

Introducción

JOSÉ LUIS ALONSO DE SANTOS Y EL PANORAMA
TEATRAL ESPAÑOL EN LOS ÚLTIMOS AÑOS

En 1942 nace en Valladolid José Luis Alonso de Santos, hijo de José y Justa, y hermano de otros cuatro nacidos del mismo matrimonio (Carmen, Teresa, Pilar y Juan Manuel), según hace constar el propio autor en la dedicatoria de *El álbum familiar* (Madrid, Prensa y Sonido, 1984, pág. 5).

En 1959 se establece en Madrid, en cuya Universidad Complutense obtendrá las licenciaturas de Filosofía y Letras (rama de Psicología) y en Ciencias de la Información (especialidad de Imagen). Su formación escénica se inicia en el Teatro Estudio de Madrid (TEM), creado en octubre de 1960 en los altos del Teatro Calderón (si bien radicaría ya de forma estable en la calle Barquillo), y desaparecido en 1972. En esta institución, recibe el importante magisterio de William Layton, quien le mencionará entre sus discípulos en la entrevista que el propio Alonso de Santos realice al profesor americano (véase *Primer Acto,* núm. 188, págs. 17-28). Asimismo, cursa estudios de interpretación y dirección en la desaparecida Escuela Oficial de Cinematografía, así como en el Instituto Alemán.

Ya en el año 1964 comienza su andadura teatral como actor con el TEM. En la citada entrevista a

11

W. Layton, recuerda nuestro autor: «Fue toda una época cuyo exponente más significativo fue el montaje de *Proceso por la sombra de un burro,* de Dürrenmatt, en 1964-65...» (pág. 22a). A partir de este último año y a lo largo de tres lustros, trabaja con los grupos teatrales Tábano, TEI (Teatro Experimental Independiente) y con Teatro Libre de Madrid como director, además de con el TEM. Son los años del teatro ambulante, del montaje portátil, de ese ir y venir por pueblos y ciudades a lomos de renqueante furgoneta para dar a conocer, a lo largo y a lo ancho del país, las más diversas obras, lo que dará ocasión a que se estrenen algunas de las suyas. Dice Fermín Cabal a este propósito:

> Durante muchos años, José Luis Alonso de Santos fue para mí el director de «Teatro Libre de Madrid», uno de esos grupos del esforzado teatro independiente que se pateaban el mapa patrio cuando aún era todo heroico y pantomímico. (...) «Teatro Libre» fue un grupo modesto pero incansable. Pocos medios y mucha imaginación. Imperceptiblemente, fue creándose una estética propia, populista, irónica, caliente, que llegaría a su culminación con *El horroroso crimen de Peñaranda del Campo* el sainetillo de Don Pío Baroja del que Alonso de Ssantos y sus huestes sacaron un estupendo espectáculo. *(Primer Acto,* núm. 194, pág. 42.)

Durante el curso 1968-69, ejerce como Profesor de Interpretación en la mencionada Escuela Oficial de Cinematografía de Madrid. Corren tiempos de efervescencia innovadora en las lides teatrales (en 1970 tiene lugar en San Sebastián el Festival Cero de Teatro Independiente). Se montan con gran éxito de público obras como *Las criadas,* de Jean Genet (temporada

1969-1970); *Rosas rojas para ti,* de Sean O'Casey *(íd.);
Tartufo 69,* la comedia de Molière en versión libre de
Adolfo Marsillach, así como el *show* Castañuelas 70,
creación colectiva del grupo Tábano.

De 1971 a 1973, lleva la dirección del Aula de
Teatro de la Universidad Complutense. En 1971, inicia
su labor de dirección del grupo independiente Teatro
Libre, con el que va a estrenar y dirigir, entre otras,
las siguientes obras: *Horacios y curiáceos,* de Bertolt
Brecht (1971); *El auto del hombre,* montaje escénico
sobre textos de Calderón (1972), y *Las aves,* de Aristófanes (1973).

En diciembre de 1973, conoce al colombiano Enrique Buenaventura, miembro y animador del Teatro
Experimental de Cali (TEC), con quien le habrá de
unir un fuerte vínculo tanto profesional como amistoso (téngase en cuenta que E. Buenaventura es quien
sistematiza y teoriza sobre el método de Creación
Colectiva, tan en la línea de trabajo de Teatro Libre).
(Para una cumplida exposición —incluidos glosario y
amplia bibliografía— acerca de dicho método, véase
Primer Acto, núm. 183, págs. 73-105 y *passim.)*

También en este año, se crea el Estudio de Teatro,
que habrá de propulsar el desarrollo de las actividades
de grupos de teatro independiente. Poco después (en
1974), Estudio de Teatro edita la revista *Pipirijaina,*
fundada y dirigida por Moisés Pérez Coterillo. Igualmente en 1974, tiene lugar en el Teatro Alfil el I
Festival de Teatro Independiente.

El llamado teatro comercial conoce en estos años
los éxitos de Gala *(Los buenos días perdidos,* estrenada el
10-X-1972; *Anillos para una dama,* 28-IX-1973, o *Las
cítaras colgadas de los árboles,* 19-IX-1974), así como
también los de Buero Vallejo *(Llegada de los dioses,*
estrenada el 17-IX-1971, o *La Fundación,* 15-I-1974).

El año 1975 representa el bautismo como autor de Alonso de Santos. *¡Viva el Duque nuestro dueño!* lleva por título su primera obra, que estrena en el Pequeño Teatro de Magallanes con el grupo que él dirige (Teatro Libre), obra cuya representación le hará merecedor del primer galardón de toda una serie: el premio Festival de Sitges a la mejor compañía. El recurso a la parodia es el rasgo que hermana sus obras de esta primera época (rasgo que, sin embargo, tampoco desaparecerá en lo sucesivo). Ya desde el propio título, *¡Viva el Duque nuestro dueño!* proyecta claras resonancias paródicas sobre *El ruedo ibérico* de Valle, estilista y maestro en la parodia. Declinando todo comentario, traemos al respecto las palabras que ilustraban el programa del estreno:

> Estamos a finales del siglo XVII y España ha pasado irremisiblemente a potencia de segundo orden. Económicamente está en la bancarrota. En medio de continuas guerras, es un barco a la deriva, con sólo un propósito: tapar con su idealismo barroco y su pasado heroico, la realidad del momento. Los campos están despoblados por el hambre, la peste, la guerra y la muerte. Una legión de vagabundos, mendigos, cómicos, pícaros, bandoleros e hidalgos miserables, luchan por mantener los conceptos del honor y la honra, mientras en Europa el cientifismo abría nuevas formas del pensamiento. Y es en el medio de este entorno hostil donde se debaten para sobrevivir los protagonistas de nuestra obra.

La pieza es estrenada el 9 de diciembre.

Este año crucial en nuestra historia no es tampoco ajeno a hechos destacables en el panorama teatral y artístico: desaparece la revista *Primer Acto* con su número 181 (había surgido en 1957 y reaparecerá, en su segunda época, cinco años más tarde, como ya veremos); la Universidad de Cincinnati (EE.UU.) edita la revista *Estreno,* donde publicará una de sus obras A. de Santos *(vid. infra);* se celebra la I Sesión Mundial del Teatro de las Naciones. Por otra parte, se inauguran el Museo Español de Arte Contemporáneo, así como la Fundación March y la Fundación Miró.

En 1977, recibe el premio Ciudad de Valladolid, así como el del Certamen de Teatro de Segovia a la mejor dirección. En 1978, Teatro Libre pone en escena, en la Sala Cadarso, *El horroroso crimen de Peñaranda del Campo,* de Baroja; éste es el año asismismo en el que A. de Santos comienza a ejercer el profesorado de Interpretación en la Real Escuela Superior de Arte Dramático de Madrid, labor que viene ejerciendo sin interrupción hasta el presente.

El año 1979 conoce el segundo estreno de Alonso de Santos: *Del laberinto al 30,* en la Sala Cadarso con Teatro Libre, bajo la dirección de Ángel Barreda y con el decorado (simbólico e intencionadamente *pop)* de Alberto Sánchez. El ajedrez y la oca constituyen el mecanismo formal en que se mueven sendos y respectivos personajes: un psiquiatra y un vendedor de armas ambulante; serio, correcto observador de las *reglas* sociales, el primero; bullicioso, impulsivo, y en principio hasta agresivo, el segundo. Pero el juego dialéctico que se forja en el proceso escénico, nos hace ver cómo el trasfondo de cada personaje es muy otro, a la postre, del que pregona su máscara social.

> Los personajes, travestidos por la magia del absurdo, no son lo que parecen. Hay un hábil juego de desnudamientos progresivos. Las claves las va obteniendo el espectador poco a poco. Ahí está la sutileza del autor. El vendedor, que aparentemente se nos muestra como un gángster lleno de violencia y sadis-

15

mo, cobra una dimensión normal, cotidiana también, cuando se le sitúa en el contexto de una sociedad —desgraciadamente la nuestra— competitiva, consumista, agresiva. En una sociedad así, un vendedor de metralletas a domicilio, no ha de desentonar excesivamente. El psiquiatra, en cambio, nos ofrece un modelo de comportamiento que puesto a prueba evidenciará su verdadera esencia personal, oculta por hipócritas comportamientos sociales. *(Primer Acto,* número 184, págs. 166b-167a.)

Por otra parte, el lenguaje de la obra fluye por el registro coloquial (chabacano a veces e intencionadamente tosco), rasgo en que la pericia del autor campa por sus respetos.

El panorama artístico de estos últimos años no ha sido ajeno al cambio general, político, operado en España. Tenemos, por una parte, el regreso del exilio de numerosos hombres de teatro; por otra, el crecimiento notable de las Cooperativas de Teatro y el II Festival de Teatro Independiente, en el Alfil (1976), así como la desaparición de los Teatros Nacionales, que se integran en el Centro Dramático Nacional (1978). La figura de Francisco Nieva surge en la escena española como un relámpago polémico y sorpresivo, tal vez desazonante mas de consagración indiscutible; son sus estrenos: *Sombra y quimera de Larra* (marzo de 1976); *La carroza de plomo candente* y *El combate de Opalos y Tasia* (27-IV-1976, fecha de su revelación), a lo que cabría añadir sus adaptaciones de Aristófanes y de Cervantes. Los consagrados Buero y Gala continúan estrenando.

Reapararece, en enero de 1980 y con el número 2, *Primer Acto,* de la que Alonso de Santos será miembro del Consejo de Redacción desde ese momento. Los trabajos que publica nuestro autor en la revista durante ese año son los siguientes: *«Así que pasen cinco años* de F. García Lorca, por el TEC» (núm. 182, págs. 44-47); «Enrique Buenaventura y su Método de Creación Colectiva» (núm. 183, págs. 73-81); «Los "Mass" y los menos de la imagen» (núm. 184, págs. 4-12. Hace aquí un examen psicológico —*gestaltiano*— relativo a la incidencia pragmática de la imagen en los individuos); «El otro encuentro» (núm. 185, págs. 14-21. Contiene unas semblanzas de hombres de teatro sudamericanos, que asistieron al I Encuentro de Teatro España-América Latina, celebrado en junio-julio de ese año), aparte algunos otros de menor entidad.

El combate de Don Carnal y Doña Cuaresma le reporta a Alonso de Santos el premio Editorial Aguilar. Con nuevos alardes de parodia (ya desde el propio título), el autor divide su comedia en cuatro *tinglados,* clara resonancia de guiñol benaventino («He aquí el tinglado de la antigua farsa»), si tenemos además en cuenta el reclamo inicial de la obra en cuestión: «¡Dé comienzo el guirigay de la *farsa* desenfrenada!» Todo un baile de títeres anima la escena del comienzo hasta el fin. Lenguaje chabacano, refranero, manidas muletillas se dan cita en este *puzzle* tachonado de pastiches. Desde el *mester sin pecado* de la cuaderna vía que profiere la sensual NOVICIA («—Quiere el cordero beber dentro de la fuente mía, —que ya comienza a manar de néctares y ambrosía. —Quiere su carne morena entreabrir mi sacristía, —y al empuje de su flor quiere romperme la mía») hasta la procaz coplilla arromanzada («—Encima le fue montando, —encima de ella montó, —y su peso no notaba, —sólo su calor notó. —El panecillo en el horno —poco a poco se metió...»), brinda el texto pábulo sobrado a toda una bacanal desenfrenada, cuya danza, honor de Don Carnal, representa la befa y la derrota para Doña Cuaresma. La orgía y el placer no tienen límites en ese lujuriante edén dionisiaco, pues «¡hasta que termine el día, todo permitido está!». Ello no obstante, Doña Cuaresma no queda aniquilada sino emplazada para ulterior combate, si el carro del placer y el desenfreno ha de seguir rodando. El teatro dentro del teatro nos muestra aquí un ejemplo, toda vez que, al final de la comedia, no son los personajes de la misma sino esos comediantes de pipirijaina quienes han de empujar su propio carretón para recomenzar otra jornada. La intertextualidad florece por doquier: desde la acotación inicial donde se alude al cuadro *bruegeliano (Combate entre el Carnaval y la Cuaresma,* de Bruegel el Viejo), pasando por paráfrasis de todo género, hasta la referencia a nuestros clásicos: «PREGONERO. —Te daré yo poesía para que aprendas a hablar, —(....) Y la lengua que nos dieron —el Arcipreste y Boscán, —Garcilaso y Calderón —y el Cervantes inmortal.»

Del tablado salaz de la farándula al retablo infantil. *La verdadera y singular historia de la princesa y el dragón* es estrenada en el Centro Cultural de la Villa de Madrid por Teatro Libre, que la dará a conocer por toda España. «A mi hija Vega, que me llevó de su mano chiquitita al mundo de los niños y me hizo escribirles esta obra», está dedicada esta farsa infantil, confeccionada en versos polimétricos que moldean el motivo de *la bella y la bestia,* bien que a la inversa: la princesita Peladilla se torna dragona, y su pretendiente preferido, el dragón Regaliz, se convierte en un hermoso príncipe. El verso elemental recorre la obra, calando incluso los intersticios de las acotaciones:

> Sale ahora la regia comitiva
> preparada para el gran ceremonial.
> Ante el cura se coloca la pareja,

y al dragón han sacado de la reja,
y en el tajo le han puesto de cortar
cabezas. Ya la cosa parece inminente.
Suenan las campanas, se prepara la gente,
y levanta la real mano el Rey de repente...

La Editorial Vox publica, también en 1980, *¡Viva el Duque nuestro dueño!;* la Editorial Aguilar, por su parte, publica *El combate de Don Carnal y Doña Cuaresma.* Recibe el premio Gayo Vallecano por su obra *La estanquera de Vallecas,* a finales de este mismo año.

A lo largo del año 1981, publica nuestro autor en *Primer Acto:* «Edmundo Barbero. La otra historia del teatro español» (núm. 187, págs. 138-143. Semblanza y entrevista al actor octogenario, español residente en El Salvador, con motivo del Encuentro de Teatro ya comentado en el núm. 185); «*El Método* en España» (núm. 188, págs. 13-72. Introducción a C. Stanislavski, más sendas entrevistas con William Layton, John Strasberg —hijo de Lee S., el famoso profesor del *Método*— y Dominic de Fazio, amén de unas notas tomadas en clase de cada uno de ellos); «Tadeusz Kantor y *Wielopole, Wielopole* por Cricot-2» (núm. 189, págs. 31-38); «El actor nuevo no debe representar» *(ibíd.,* págs 39-45, en colaboración con José Monleón. Entrevista al artista plástico polaco), y «Dagoll Dagom con Sisa en *La noche de San Juan*» (núm. 190-191, págs 193-200. Entrevista a cuatro miembros de este colectivo catalán: Joan Lluis Bozzo, Berti Tovias, Sisa y Anna Rosa Cisquella). Por su parte, la Editorial Miñón de Valladolid publica *La verdadera y singular historia de la princesa y el dragón,* con ilustraciones de José María Fernández Montes.

Se estrena *La estanquera de Vallecas* —noviembre

de este año— en la sala El Gayo Vallecano, con Mercedes Sanchís como Estanquera, bajo la dirección de Juan Pastor. Cinco personajes (aparte las voces en *off*) integran el elenco de la obra, a la que han dado algunos en llamar, a modo de subtítulo, «sainete con talento» (J. I. García Garzón), «sainete de nuestro tiempo» (Julia Arroyo) o, parafraseando el cuplé de Rincón, «tabaco y cerillas» (A. Amorós). Dos cacos llegan a un estanco, arma en mano, conminando a la dueña-dependienta a que suelte el dinero; pero la anciana, terne y testaruda, no se amilana ante las amenazas. Los intrusos no logran su propósito; entre tanto y al reclamo de las voces salidas del estanco, se ha agolpado el gentío ante la puerta, que tiene echado el cierre, precaución de los randas. Llegan también los agentes del Orden, que apremian a los cacos a abandonar su intento, a lo que ellos no acceden, pues deciden permanecer en el establecimiento. Una vez distendidos los ánimos, un clima de amigable compadreo se adueña del ambiente. ¿Síndrome de Estocolmo? Lo cierto es que el «afuera», hostil y amenazante por la patrulla que custodia la salida, concita la cohesión en los de dentro; secuestrados y secuestradores se avienen a una cordial convivencia, a pesar de las trifulcas pasajeras que a veces se organizan: juego de tute en que la anciana da ciento y raya al par de ladronzuelos, en tanto que la nieta, complaciente, prepara los cafés; convite con «anís de la alacena» y «el Winston de las grandes ocasiones»; bailoteo al compás de la gramola, que anima a la vieja a lucir las gracias de sus verdes años («la abuela es la que mejor baila del barrio»); la cura esmerada y maternal que la anciana practica a Leandro, que se ha quemado al extinguir el fuego que el taimado policía provocara («la abuela es la que mejor cura del barrio»); canturreo de la vieja estanquera, al unísono con la Niña de la Puebla («la abuela es la que mejor canta del barrio»), ante el abatimiento de Leandro. Cabe añadir a ello los pequeños favores quinceañeros que, en nocturnal vigilia, concede a Tocho la complaciente moza al socaire del sueño de la abuela. Al final, la rendición de los dos delincuentes, mas no sin que Tocho intente la fuga, que le acarrea esa par de balazos tras los cuales su voz se irá eclipsando entre alaridos de horrísona ambulancia.

El lenguaje en *La estanquera de Vallecas* es de evidente corte coloquial, registro éste en que Alonso de Santos ha demostrado ser maestro indiscutible. El estilo de las acotaciones fluctúa entre un humor surrealista («El tabaco quieto, ordenado, serio y en filas, como en la mili.» «Y se ponen a recoger lentamente, aquí y allá, el picao y las pólizas de a cinco, que habían salido a ver el final») y un deje de pincel valleinclanesco («Sujeta la vieja a Leandro y éste levanta la navaja, que brilla en el aire con ansia de algo de rojo que le dé color. Se masca la tragedia de la muerte trapera y la niña se arroja a los pies del golfo en estampa de cartel de ciego»).

El año 1982, publica en *Primer Acto:* «Ha muerto Lee Strasberg» (núm. 192, págs. 3-6); «La personalidad de un maestro» *(ibíd.,* 7-11. Semblanza del gran maestro austriaco, creador del *Método* —cfr. lo dicho relativo a *Primer Acto,* núm. 188—, y entrevista a su hijo John Strasberg); «Entrevista a Manolo Collado» (núm. 193, págs. 34-36); texto de *El álbum familiar* (núm. 194, págs. 56-73) en su primera versión (la definitiva se publicará dos años más tarde), y «Fermín Cabal, un autor de nuestro tiempo» (núm. 196, págs. 27-40). En el citado número 194 y precediendo al texto de la obra señalada, se incluye una semblanza del autor a cargo de José Monleón: «J. L. Alonso de

Santos: imagen de un hombre de teatro» (págs. 39-41), así como también una entrevista que le hace Fermín Cabal: «Alonso de Santos: un tren que viaja a alguna parte» (págs. 42-55). Por otro lado, la Editorial La Avispa publica *La estanquera de Vallecas*.

El premio teatral «Lope de Vega», convocado (desde 1932) por el Ayuntamiento de Madrid, recae, en esta edición, en Ignacio Amestoy Eguiguren por su obra *Ederra*, correspondiendo a *El álbum familiar* el accésit. (En 1980, ya les había tocado compartir a ambos autores el premio Aguilar.) También este año, recibe Alonso de Santos una de las diez ayudas otorgadas por el Ministerio de Cultura para autores teatrales, ayuda por la cual se compromete a escribir *El demonio, el mundo y mi carne*.

Si no el definitivo espaldarazo, *El álbum familiar* va a suponer un paso de gigante en la andadura teatral de su autor. Tiene lugar su estreno el 26 de octubre en el Teatro María Guerrero (del Centro Dramático Nacional), bajo la dirección del propio Alonso de Santos, y con la intervención, en los papeles principales, de Manuel Galiana (YO, José Luis: contrafigura del autor), Fernando Delgado (PADRE) y Lola Cardona (MADRE).

Un viaje iniciático y onírico. La defenestración. El desarraigo. Mirado a simple vista, se nos antoja *El álbum familiar* la obra de mayor envergadura, la muestra formalmente mas compleja, entre las que su autor ha producido; más, las palabras de Eduardo Haro Tecglen nos alertan:

> Era inevitable que la aparición de Kantor en el planeta teatral produjera aquí, donde hay tanta afición al remedo, a la fascinación y al agarrarse a lo bien hecho por otro para intentar el propio éxito,

algún *Kantorcillo*. Era menos previsible que fuera a parar a esa trampa un autor de vena propia, y muy buena, como Alonso de Santos, que tiene verbo, agudeza, sentido teatral para la invención. Y ha sucedido. Con menos riqueza teatral, con menos fuerza literaria. Pero con sus personajes congelados, su imbricación de narración-acción-recuerdo-actualidad, sus muertos animados, sus vivos paralizados. (...) Aquí está el que cuenta, dirige y participa, que en el reparto es Yo, y en la acción, José Luis: el autor-director. *(El País,* 28-X-1982.)

En efecto, si examinamos *Wielopole, Wielopole* (con toda su poética dramática, que el propio autor nos ha dejado escrita), comprobaremos que es considerable el débito de *El álbum familiar* con el autor polaco. (Recuérdese que, en el número 189 de *Primer Acto,* publicaba un año antes Alonso de Santos un artículo sobre la obra de Kantor.) Ya el propio título es calco de una frase del fundador de «Cricot 2», como veremos. En Alonso de Santos, el álbum de familia representa el espacio del pasado, el pasado hecho espacio, el pasado hecho muerte. En Kantor, ese espacio de muerte es la habitación de su niñez, estercolero del recuerdo y receptáculo de seres fallecidos, familiares o allegados del autor-protagonista, cuya historia conjunta no se narra, se representa en el espacio sepulcral de la fotografía: el espectáculo «es la historia de mi familia. Pero NO los acontecimientos que están en *El álbum familiar* ni en los manuales de historia». Mas no es de este lugar el examen comparativo de ambas obras; pasaremos, por tanto, al estudio positivo de la obra en cuestión.

El álbum familiar viene a ser como un tren cuyos vagones se uniesen entre sí por un común extremo; no un plano callejero cuyas hojas, unidas dos a dos, se pueden extender hasta ofrecernos una extensión sinóptica. Si el álbum constituye un espacio de muerte, el tren representa negación y renuncia a dicho espacio: la liberación, el salto a la vida con todos sus riesgos. En el álbum, los seres que se fueron parecen resurgir con nuevo aliento; los seres, por contra, que aún viven, se nos muestran inánimes y yertos: la muerte y la vida fluctúan entre espacios de fronteras imprecisas. Las páginas del álbum familiar quedan sujetas por un eje común: la memoria. Y será justamente el recuerdo el que temporalice ese espacio, aunque será también ese espacio cerrado el que espacialice el tiempo del recuerdo. Entre ambos elementos dialécticos espacio-temporales, la imagen del tren tal vez simbolice la unidad sintética, que conecta el pasado y el presente del personaje axial en su continuo devenir.

La escena primera nos muestra los preparativos de un viaje. ¿A dónde? No hace al caso. Las escenas segunda y tercera comprenden el viaje, en que vemos a toda la familia en el tren, sentada en las maletas. A modo de un desfile de fantasmas, los personajes muertos ya surgen, ya se esfuman, en un ir y venir desconcertante; pero es porque el recuerdo los junta o los separa de los vivos según domine o no la espacialización. Las escenas cuarta y quinta tienen lugar en la sala de espera de una estación sin nombre. (Entre tanto, ha pasado el revisor y, al no tener billetes, la familia no ha tenido otro remedio que abandonar el tren; ahora esperan allí a que pase el siguiente, que les permita continuar viaje.) Nuevas apariciones de personajes idos: la abuela, el tío santo, el padre de su padre..., así como de esos otros que no han emprendido el viaje: el Maestro (viejo republicano), el Practicante (contumaz falangista y patriotero)... La escena sexta y última nos muestra a toda la familia en el andén, dispuesta a reemprender el viaje. El revisor, sin embargo, les impide subir al tren, pues no tienen billetes. En esto, irrumpe en el andén de súbito, triunfal de entre la gente, MI MAESTRO: «¡José Luis! ¡Lo conseguiste! ¡La beca! Te han dado la beca al fin. La beca es tu billete. ¿Entiendes? ¡Es tu billete! Puedes subir. ¡Puedes subir! Estabas en la lista. ¡Lo entiendes! ¡Tómalo! ¡Toma tu billete!» Ese billete, pues, será la llave con que abrirá la puerta por donde ha de salir al camino iniciático, que le separará del espacio senomaternal, letal y acogedor a un mismo tiempo. Antes de dar el paso decisivo, se debaten en él dos fuerzas contrapuestas: la permanencia al lado de los suyos (son las admoniciones deontológicas que le hacen MI PRACTICANTE y SACERDOTE) y la aventura en pos de su destino (hacia la cual le impulsa MI MAESTRO). Sube por fin al tren; una vez apartado de los suyos, comprueba el contenido del paquete que su padre le ha dado, el pie sobre el estribo, en el último instante: es... ¡el álbum familiar!

Nada de afectos, nada de nostalgias. Los personajes están disecados, tras haber sido clavados en el álbum-sarcófago. Esos personajes carecen de historia, de voltaje dramático, porque ha sido frenada su existencia en un punto cualquiera de su devenir; una vez paralizada en ese punto, la existencia se espacializa, es decir, se convierte en *muerte,* al menos como «ser-para-otro». Dicho con palabras de Kantor: «Esos inquilinos clandestinos, posando para una fotografía, como muertos, entran en la historia y en la eternidad. Su dolorosa condición: su vida dura sólo ese singular momento, y, a través del milagroso y a la vez terrible y homicida proceso de la fotografía, han sido desprovistos de pasado y de futuro.» Por otra parte, es el propio recuerdo el que desvitaliza la existencia ajena: el «ser-para-sí» de cada persona deviene «ser-en-sí» en nuestro recuerdo.

En las memorias las personas sinceras y bondadosas no existen. Digámoslo abiertamente: el proceso de la memoria es sospechoso y no muy claro. Es simplemente una agencia de empleos. La memoria utiliza personajes «empleados». Son individuos siniestros, criaturas mediocres y sospechosas esperando ser «emplados» como «sirvientes por horas». (T. Kantor. Las citas de este autor están tomadas del número 189 de *Primer Acto,* págs. 19 y ss.)

Si en la obra de Kantor la habitación-sarcófago cobraba vida y orden en virtud de los objetos añadidos y de la ventana practicada al exterior, con una calle al fondo, el álbum familiar se «vitaliza» gracias a ese tren que remueve sus figuras estáticas y, aun cuando no les lleve a parte alguna, compartirán el viaje en cierto modo, pues no olvidemos que el álbum forma parte del bagaje con el que José Luis se aleja de los suyos...

En 1983 publica en *Primer Acto:* «Una noche con Gassman, una noche de teatro» (núm. 189, págs. 97-99. Semblanza encomiástica del célebre actor italiano, con motivo de su participación en el III Festival Internacional de Teatro en Madrid); «León Felipe, un juglar desterrado de su patria» (núm. 201, págs. 40-42); «Romance a la España perdida» (*íd.,* pág. 46), y «Paco Ignacio Taibo; canto al exilio en una crónica representable» (*íd.,* págs. 48-49). Los tres últimos trabajos se refieren, respectivamente, a las obras *El juglarón* (de León Felipe), *La niña guerrillera* (de José Bergamín) y *Morir del todo* (de Paco Ignacio Taibo), obras todas ellas que había de montar y dirigir el propio Alonso de Santos, con motivo del Ciclo Teatral del Exilio en México (dirigido por J. Monleón).

En México, D.F., se estrena *La estanquera de Vallecas.* Dentro del III Festival Internacional de Teatro de

Madrid, organizado (como las anteriores ediciones) por la Asociación Cultural «Caballo de Bastos», y patrocinado por el Ayuntamiento de Madrid, la Comunidad Autónoma y el Ministerio de Cultura, tiene lugar, en el Molino Rojo, el estreno del show *El gran Pudini,* a cargo de Rafael *El Brujo,* de quien dice Santiago Trancón a tenor del espectáculo:

> El texto de J. L. Alonso de Santos, *El gran Pudini,* le sirve para mostrarnos sus dotes originales. Un texto «disparatado», escrito con gran libertad, basado en la espontánea asociación de palabras y situaciones y articulado en torno a un conferenciante-actor que nos cuenta su vida, lleva a *El Brujo* a una interpretación ágil, enloquecida y controlada a un tiempo, que no es sólo esperpento y sainete, porque tiene también un extraño duende (...) que nos conmueve al mismo tiempo que nos provoca la risa. *(Primer Acto,* números 199-200, págs. 164b-165a.)

Con motivo del cincuentenario de su recuperación (que tuvo lugar —junio de 1933— con la representación de *Medea:* versión y traducción de Unamuno de la tragedia de Séneca, interpretada por Margarita Xirgu y Enrique Borrás, y dirigida por Cipriano Rivas Cherif), se celebra en el Teatro Romano el Festival de Mérida. Allí tiene lugar (además de un ciclo de conferencias organizado por la Universidad Internacional Menéndez y Pelayo) la representación de cinco obras, entre ellas, *Golfus de Emérita Augusta,* de J. L. Alonso de Santos, Miguel Murillo, Ramón Ballestero y José Manuel Villafaina. Es una obra escrita «ad hoc» (dirigida también conjuntamente) y no ha conocido otra representación que la de aquel teatro emeritense.

En 1984 publica en *Primer Acto:* «Festivales griegos, verano del 84» (núms. 203-204, págs. 170-174);

«Con Andrea D'Odorico, escenógrafo de *La casa de Bernarda Alba*» (núm. 205, págs. 32-42), más dos breves reseñas aparecidas en el número 206: «V Festival de Teatro de Madrid» (pág. 69) y *Cyrano de Bergerac,* de Edmond Rostand, por la Compañía de José María Flotats, con la dirección de Mauricio Scaparro (págs. 71-73). La Editorial Prensa y Sonido (Col. Arte Escénico, núm. 20) publica este año *El álbum familiar,* en su versión definitiva.

Entre el 15-XII-1983 y el 15-II-1984 tiene lugar, en el Palacio de Velázquez del Retiro, la Exposición «El Exilio español en México», presentada por el Ministerio de Cultura, con su Ciclo teatral correspondiente a cargo del Centro Dramático Nacional. J. L. Alonso de Santos será el encargado de montar y dirigir las obras *El juglarón,* de León Felipe; *La niña guerrillera,* de José Bergamín, y (la que tal vez obtenga mayor resonancia) *Morir del todo,* de Paco Ignacio Taibo, estrenada esta última el 4 de febrero y llevada más tarde a Barcelona (Palacio de Pedralbes). En el mes de julio de este año y becado por el Festival de Teatro Romano de Mérida (junto con Juan Margallo y Etelvino Vázquez), asiste a los Festivales de Teatro griegos celebrados en Atenas (Odeón de Herodes Atticus) y Epidauro (teatro del mismo nombre).

En su edición del año 1984, el premio teatral «Tirso de Molina», concedido conjuntamente por el Instituto de Cooperación Iberoamericana (ICI) y Televisión Española, recae en Alonso de Santos por su obra *Bajarse al moro.* El premio está dotado a la sazón con medio millón de pesetas, y el jurado dictaminador, compuesto por los miembros: Nuria Espert (actriz y Presidenta del Jurado), Maruja López (Directora de la Escuela de Arte Dramático), Eduardo Haro Tecglen (crítico de *El País*), Rafael Herrero

(Jefe de programas teatrales de RTVE, como representante de este «ente público») y José María Palacios (en representación del ICI).

El año crucial, hasta el momento, en la carrera teatral de Alonso de Santos es 1985. En primer lugar, diremos que la revista *Primer Acto,* en su número 208, publica una breve reseña del libro *Veintitrés monólogos para ejercicios,* de Alberto Miralles; el número 210-211 dedica un amplio espacio a nuestro autor, a propósito de *Bajarse al moro,* con sendos comentarios de la obra por Eduardo Haro Tecglen y Eduardo Galán, más una entrevista a cargo de Eduardo Ladrón de Guevara (págs. 46-57); el mismo número incluye el artículo de Alonso de Santos «Rafael Álvarez, *El Brujo,* en el corazón de *La taberna*», semblanza del actor que encarna el personaje central de la obra de Sastre; antiguo colaborador de Teatro Libre, quien representara en su día (además de *¡Viva el Duque nuestro dueño!*) *Alea jacta est* o *El gran Pudini* (cfr. *supra,* 1983).

La Editorial Fundamentos publica el libro *Teatro español de los 80,* de Fermín Cabal y J. L. Alonso de Santos (265 págs.), que contiene entrevistas realizadas por uno y otro autor a distintas personalidades teatrales (Carlos Plaza, Boadella, Manuel Collado, Juan Margallo, José Luis Gómez, Lluis Pascual, Ángel Facio), así como a algunos colectivos de teatro independiente. Se trata de una recopilación de entrevistas ya aparecidas en *Primer Acto,* amén de un índice bibliográfico relativo a cada uno de los entrevistados. Por otra parte, *Del laberinto al 30* aparece publicado en la revista *Estreno* de la Universidad de Cincinnati, Ohio. Ve la luz asimismo *Bajarse al moro* en su edición primitiva: Ediciones Cultura Hispánica, del ICI. El Ayuntamiento de Toledo, por su parte, edita *Fuera de quicio (vid. infra).*

Tres obras del autor se reponen este año. Con ocasión de la Semana de la Juventud (organizada por la Concejalía de la Juventud del Ayuntamiento de Madrid), Teatro Libre representa *Del laberinto al 30*. Los Veranos de la Villa (organizados por la Concejalía de Cultura del Ayuntamiento de Madrid) incluyen en su serie de espectáculos la representación, en el Templo de Debod, de *¡Viva el Duque nuestro dueño!* En el Teatro Martín, se repone *La estanquera de Vallecas*, el 23 de agosto, con mayor resonancia de crítica que en los días de su estreno cuatro años atrás. Dirigida por su autor, ofrece *La estanquera* del Martín la gran aportación de una actriz veterana: Conchita Montes, quien supera con suma brillantez su enésima reválida encarnando el personaje de la abuela. El resto del reparto está formado por Miguel Nieto (Leandro), Manuel Rochel (Tocho), Beatriz Bergamín (Ángeles) y Eduardo Ladrón de Guevara (Subinspector de policía). Por otra parte, en la Sala San Pol de Madrid, el Calibán Teatro representa *En manos del enemigo,* de M. Gorki, en versión de Alonso de Santos.

El 19 de enero, tiene lugar el fallo del premio «Rojas Zorrilla», patrocinado por la Diputación Provincial de Toledo, premio que, en su XI edición, recae en Alonso de Santos por su obra teatral *Fuera de quicio*. Integran el Jurado Lauro Olmo, Francisco Ludeña y Alberto Miralles.

Fuera de quicio refleja la delicuescencia de la realidad fenoménica frente a la percepción alucinatoria. La acción se desenvuelve en un centro psiquiátrico cuyos protagonistas se debaten entre el clima oprimente del entorno y el liberador impulso hacia el abrazo erótico. Dos parejas de internos —Antoñita-Antonio y Rosa-Juan—, a despecho de la férrea vigilancia, se encierran cierta noche en la leñera a fin de solazarse a su sabor.

Van a bailar los cuatro, pero Juan se siente retraído, pues su madre —quien «se entera de todo lo que hago»— se lo tiene prohibido... Tal vez con la bebida se le pase la murria; por lo tanto, irán las dos mujeres en busca de licor que les entone. Van a casa del «dire» a tal propósito, pues «se han ido a Segòvia esta mañana», por lo que esperan no encontrar a nadie; pero al cabo de un rato, vuelven a la leñera consternadas. ¿Qué es lo que ha sucedido? ¡Qué han visto a doña Asunta asesinada! (En la escena siguiente, vemos al Director nada afectado tras el fallecimiento de su esposa.) Llega un subinspector de policía, quien investiga el caso suscitando un diálogo «de locos» entre él y las enfermas (asistimos a un interrogatorio en que los desvaríos se cometen por una y otra parte). Mas en todo este embrollo, lo importante no es, en modo alguno, el esclarecimiento del culpable sino lo divertido de las confusas situaciones y frases equívocas. Otra noche, Rosa y Antoñita se encierran nuevamente en la leñera; como ésta perdiera un zapato, aún no recuperado, cuando lo de doña Asunta, deciden una y otra ir a buscarlo. De nuevo las tenemos en la casa del «dire», que será una vez más lugar de sobresalto, pues aquello supone traspasar el umbral del espacio prohibido. Al entrar en la alcoba y dar la luz, allá, sobre la cama, donde era de esperar no hubiese nadie, surgen ante su vista el Director y la Madre Superiora en plena situación comprometida... Sesión de electroshock para las dos, porque quien ve o descubre lo prohibido, reo será de implacable castigo.

A partir de este punto de la obra, Rosa y Antoñita serán sometidas a un lavado de cerebro, por el que su visión de la realidad se amoldará al código de lo establecido; así, el concúbito del Director y la religiosa no ha sido sino una alucinación, lo que aquél argumenta a las enfermas con especioso ardid psicoanalítico: «Tienen que seguir al pie de la letra el tratamiento que se les ha prescrito, y sobre todo traten de olvidar las alucinaciones que han tenido últimamente. Habrán creído ver en esa crisis (...) fantasmas de personas relacionadas directamente con ustedes: sus padres, acaso cosas de su niñez, o a componentes del personal de este hospital, como a la Madre Superiora... o a mí...»

Y en pago crediticio a la conducta que ellas observarán en adelante, el Director les cede su despacho, donde podrán estar cómodamente con los dos caballeros —Juan y Antonio— que acaban de venir a visitarles. (Mientras tiene lugar esta entrevista, el Director y la Madre Superiora observarán ocultos lo que ocurre, parapetados tras una claraboya.) Como Rosa se siente indispuesta, irá con Antoñita a la capilla en busca de unos polvos que le alivien (luego sabremos que es la marihuana que hay plantada en los tiestos de ese sitio). La historia se repite: vuelven al rato «lívidas y tiesas»: ¡han visto a «Santa Teresita del Niño Jesús» (otra de las internas) muerta y ensangrentada!... Revuelo general en el psiquiátrico; ulterior intervención de la fuerza pública, que restablece el orden.

Otra noche, oscura y tormentosa, se reúnen nuevamente en la leñera Rosa y Antoñita. Ruidos al fondo, que (luego lo veremos) los produce el fornicio del señor Director y la Madre Superiora. Aparecen, tiradas en el suelo, unas bragas «bonitas» y «muy sexis», «made in Italy». ¿Quién habrá estado en Roma últimamente? —pregunta una de ellas—. ¡La Madre Superiora!, es la respuesta. Ergo, la prenda pertenece a... Aparecen en esto los galanes, bebidos y animosos; por si eso fuera poco, la presencia de la prenda femenina encalabrina aún más su impulso erótico. ¿Por qué no han de poder hacer lo mismo que el Director y la Madre Superiora? Mas cuando están a punto del desmadre, llaman del otro lado de la puerta. Quedan paralizados: ¿quién será? Pánico general: ¡es doña Asunta! Asimismo aparecen en escena el Director y la religiosa a medio vestir, que acaban de salir de su escondrijo. Llega poco después, pistola en mano, una segunda doña Asunta que, quitado el disfraz, resulta ser el subinspector de policía, quien desenmascara a la otra doña Asunta, que no era sino Sor Concepción. Según el policía, dicha monja habría asesinado a doña Asunta, quien, sabedora de las relaciones entre los dos amantes, trataba de impedirlas, pues por su teoría de los nombres, Sor Concepción quería a toda costa que José (el Director) y María (la Madre Superiora) *concibiesen* al niño Jesús... Luego resulta que Sor Concepción es un agente de la KGB, quien, metralleta en mano, exige a la Madre Superiora —agente de la CIA— le entregue el microfilm que contiene un proyecto para instalar en aquel mismo lugar una base de bombas de neutrones. Según Sor Concepción, Santa Teresita era un espía doble; científica exiliada de la URSS, había conseguido sacar el microfilm y entregárselo luego a la Madre Superiora, quien «la mató después para que no hablara» (la propia Santa Teresita ya lo escribiera en clave con su sangre). ¿Y a doña Asunta? La mató Sor Concepción «porque se negaba a volver a Rusia»... Como se ve, todo esto resulta un tanto extravagante y fuera de propósito; pero lo principal (ya lo hemos dicho) es la dinámica del efecto teatral. El final de la historia es que las dos parejas acaban liberándose por el acto carnal; el embarazo de las dos mujeres les permite casarse y, ya una vez casados, abandonar el hospital psiquiátrico.

No hay que perder de vista la intertextualidad en

Fuera de quicio. Aparte algunas alusiones de tono chascarrillero, vemos cómo a veces aparece en escena algo que proviene del cine: toda la explicación del microfilm, por ejemplo, parece ser una proyección perceptiva de una película que han visto las enfermas días antes. Mas el espectador verá en escena en plano de igualdad tanto lo ilusorio como lo fenoménico, si bien percibirá el guiño del autor con su juego de luces psicodélicas, que marcan la frontera fenomenológica entre ambas representaciones. Por otra parte, es de destacar en *Fuera de quicio* esa realidad barroca, lábil y ambigua, que allí se representa, cuya interpretación dependerá del campoamoriano cristal con que se mire. En la escena final, los dos orates explican a sus amigas cómo, según Marlowe («un detective muy famoso que está allí con nosotros»), «el dire y la Madre Superiora tienen aquí montado el negociazo (de cocaína), y ellos le dan al trippi también, y por eso pasan esas cosas. Y al que se entera se lo cepillan con su ayudanta, Sor Concepción». En resumidas cuentas, la realidad del hecho escénico es lo que subyace a todo ese juego calidoscópico de apariencias. Por último, digamos que si una moraleja puede extraerse de esta obra, es la de la integración en el orden establecido. Los mayores delitos, los mayores trastornos alucinatorios serán sancionados y dados por buenos siempre y cuando se amolden al código social (sería el «decoro» de que habla Bataillon). Si el subinspector de policía se convierte en administrador del centro por haber abandonado el seguimiento del turbio caso de doña Asunta, así también las dos parejas serán exoneradas de sus electroshocks y de su internamiento para «hacer lo que hacen los que están sanos: casarse, tener hijos...».

El 6 de marzo, se estrena en el Teatro Principal de

Zaragoza *Bajarse al moro,* en una producción de Justo Alonso y bajo la dirección de Gerardo Malla, con la colaboración de TVE, S.A. y el ICI. Pero el estreno más resonante de la obra tiene lugar en el Teatro Bellas Artes de Madrid, el 6 de septiembre, bajo las órdenes del mismo director. De nuevo el sonsoniche de sainete cobrará esta comedia entre los críticos. Así, María Arroyo —parodiando el conocido título de una obra de Gala— la subtitula «sainete y un poco de yerba», y Haro Tecglen, «sainete en el camino de vuelta» (diarios *Ya* y *El País,* respectivamente). (Para el comentario de esta obra, remitimos al lector a su capítulo correspondiente.)

En la medida en que Alonso de Santos resulta agraciado, conviene hacer aquí un recorrido por lo que fueron, el año 1985, los diferentes premios «El Espectador y la Crítica». En el premio a la mejor obra de autor español, obtuvo 4 votos *La taberna fantástica* (de Sastre), siguiéndole, empatadas a 2 votos, *Bajarse al moro* y *Hay que deshacer la casa* (de Sebastián Junyent). El premio a la mejor dirección escénica es para Gerardo Malla, con 3 votos, por la de *La taberna fantástica* y *Bajarse al moro.* El premio a la mejor interpretación femenina es para Lola Cardona y Amparo Rivelles, con tres votos cada una (dos por separado y uno ex-aequo), en *Hay que deshacer la casa;* por su interpretación en *Bajarse al moro,* Verónica Forqué obtiene un voto.

El Premio Nacional de Teatro —convocado por el Instituto Nacional de las Artes Escénicas y de la Música (INAEM) del Ministerio de Cultura— es concedido el año 1985 por partida doble a Alfonso Sastre y José Luis Alonso de Santos. «Con estos dos galardones se recompensa la trayectoria de un veterano, Sastre, y se premia la ya sólida carrera de un dramaturgo

joven» (*El espectador y la crítica,* año XXVIII, Valladolid, Francisco Álvaro, ed., 1986, pág. 296).

En 1986, Alonso de Santos nos deja en *Primer Acto*
un breve testimonio: «Yo vi la *Yerma* de Nuria Espert»
(núm. 212, págs. 104-105). Ediciones Antonio Machado (Colección Teatral de Autores Españoles) publica
este año una nueva edición de *La estanquera de Vallecas*
y de *Bajarse al moro* (en su versión definitiva). El ya citado volumen (año XXVIII) de *El espectador y la crítica*
lleva un prólogo de Alonso de Santos (págs. 9-12).

Siguiendo con su palmarés de galardones, obtiene
nuestro autor en este año el premio «Mayte», quedando finalista la actriz Ana Marzoa (en quien recae, junto
con el director Miguel Narros, el Premio Nacional de
Teatro del 86).

¡Viva la ópera!, espectáculo montado sobre núme-
ros musicales de Gaetano Donizetti (1797-1848) según
libre versión de Alonso de Santos, se estrena este año
por la Opera Cómica de Madrid. El teatro dentro del
teatro goza de rancia tradición en el acervo de nuestro
género lírico (baste recordar, entre otros casos, *El dúo
de La Africana,* de M. Fernández Caballero; *El barbero
de Sevilla,* de Nieto y Giménez; *Las golondrinas,* de
Usandizaga, o *El maestro Campanone,* de V. Lleó). La
elección de Donizetti (autor de obras tales como *Ana
Bolena, L'elisir d'amore, La favorita, Don Pasquale* o
Lucia di Lammermoor) se debe a su predilección por el
efecto escénico (contrapuesto en este aspecto a
V. Bellini, más atento al perfil lírico de sus personajes). *¡Viva la ópera!* nos presenta, en su simple bastidor
escénico, una compañía ensayando una ópera, en que
van ocupando su sitio el director, la *primadonna,* su
marido, la sastra, el empresario... y un poeta, que es
quien afirma: «Las óperas no hay que entenderlas. Hay
que cantarlas.»

En el IX Festival Internacional de Teatro Clásico de Almagro (celebrado entre los días 1 y 21 de septiembre), se estrena *No puede ser... el guardar una mujer,* de Agustín Moreto, en versión de Alonso de Santos, por la Compañía de Teatro Clásico en Almagro, bajo la dirección de Josefina Molina. «*No puede ser... (...)* era algo así como el paso que explicaba la liberalización de la mujer, de la condición y la decisión femenina frente al hombre» (A. Marsillach). La obra lleva música de José Nieto.

En agosto de este año 1986 dirige Alonso de Santos, junto con Santiago Paredes, el encuentro «Estructura dramática y Artes afines» en la Universidad Internacional «Menéndez y Pelayo» de Santander.

La última pirueta se estrena en el Teatro Monumental de Madrid el día 1 de julio, dentro de Los Veranos de la Villa, con Manuel Galiana en el papel principal (el Payaso «Flofli») y bajo la dirección de un colombroño del autor: el veterano José Luis Alonso Mañés. Nuevamente el circo en el teatro, con sus figuras un tanto manidas: un payaso tristón, sentimental, de orgullo absurdo, a quien la pequeña Violeta enamora de golpe; un director llorón, nostálgico, que acaba con su vida bajo el lema «¡Más difícil todavía!» y dándose *trato de cuerda,* incapaz de soportar el desmoronamiento de su circo; una acróbata «ciega y de porcelana», Violeta, prometida forzada del Hombre Forzudo, otro sentimental de opereta, gigante de cartón, cárcel de músculos o el enano Casimiro, incansable engullidor de bocadillos con que podrá tal vez crecer un día, escéptico y burlón ante la vida... Dándole una de cal y otra de arena, Eduardo Haro Tecglen comenta esta obra con palabras que creemos oportuno traer a colación:

La idea literaria del circo se desarrolla entre fines del siglo pasado y la primera mitad de éste: se crean los tópicos de la pobreza de la pequeña aventura ambulante, del payaso triste, de la bondad ambiente, de la belleza frágil de la acróbata y de la vulnerabilidad del domador y del forzudo. Alonso de Santos acude tardíamente a esa cita literaria, a esa especie de ingenuidad y de infantilización, y aun a la filosofía doméstica de la vida como una pista. Tiene buena y elegante prosa para integrar el lenguaje característico de la ternura, la poesía y el humor bondadoso. Y la humildad suficiente como para trabajar dentro del esquema sentimental: la alambrista ciega, amada por el forzudo, tenuemente enamorada del payaso triste; cuando recupera la vista, les abandona a los dos, y al pobre circo embargado y privado de su brillantez artificial, y se va con el doctor que la curó. Cualquier meditación sobre el contraste de ilusión y realidad, sobre la condición de payasos que podemos tener todos o sobre el circo de la vida será tan posible como inútil: no conduce a nada.

En 1987, publica en *Primer Acto* «José María Rodero» (núm. 217, págs. 32-33), una semblanza del veterano actor. Ediciones Antonio Machado publica *La última pirueta*. A cargo del INAEM, del Ministerio de Cultura, aparece publicado el texto de *No puede ser... el guardar una mujer,* con un prólogo de Pilar Palomo.

Esta última obra se estrena asimismo en Madrid, Teatro Calderón, en abril de este año, por la Compañía Nacional de Teatro Clásico (cuyo equipo dirige Marsillach), bajo la misma dirección escénica del año precedente. Se sigue representando *¡Viva la ópera!,* estrenada en el Teatro Calderón de Valladolid un año antes: Teatro Roma de Sagunto, entre otros centros.

La producción escrita y destinada a un receptor multiforme constituye hoy en día uno de los terrenos más propicios a la investigación de naturaleza interdisciplinaria en el dominio humanístico. A la par que se afianza la *teoría del texto,* sirviéndose obviamente de todo un engranaje histórico-cultural, la *teoría de la imagen* opera intensamente a través de los *mass media,* en favor de lo visto y oído (no de lo leído). La tarea de abordar una obra teatral nos sitúa, así, en una encrucijada de práctica semiótica, en un doble frente de lucha, donde hemos de enfrentarnos, de una parte, con un texto finito y prefijado de una vez por todas, destinado a un lector que no podrá modificarlo en una sola tilde; pero, por otra parte, nos hallamos ante una partitura, ante un bajo cifrado cuyo producto orquestal es la realización, la representación escénica de dicha obra dramática, destinada a un público espectador, preparado y dispuesto, por tanto, a la contemplación del espectáculo, si bien no siempre a la lectura de la obra. (Tomada, pues, la obra teatral, en su dimensión puramente textual y en su proceso semiótico *Autor→Texto-literario→Lector,* constituye un «texto» cerrado; tomada, sin embargo, en su proceso *Autor→Texto-escenográfico→Director-escénico→Espectador,* entonces constituye un «texto» abierto.)

A la hora de llevar a cabo la investigación, optamos, en cuestión metodológica, por el eclecticismo, en la medida en que nos permite concebir la obra dramática como *texto proyectivo,* es decir, como texto que, si bien no puede en ningún caso modificársele un ápice en su literalidad de base, sí puede ser leído en forma múltiple. Dicho eclecticismo metodológico nos lleva de la mano al terreno de la semiótica, entendida como semiótica textual, narratología, simbólica..., mas sin entrar en los dominios de la representación teatral propiamente dicha. Nos movemos, por tanto, en esa zona reservada al crítico y al realizador escénico; en esa zona, tal vez privilegiada, en que nos permitimos abordar la obra teatral como «obra abierta». (Retomando lo dicho más arriba, es el caso que toda obra dramática constituye un «texto» cerrado para el destinatario, ya sea éste lector o espectador; en cambio, la apertura es privilegio tanto del crítico cuanto del director y los actores.)

Tal enfoque de la investigación, con los pros y los contras que conlleva, no es nuevo, sin embargo. He aquí lo que escribe al respecto Antonio Tordera Sáez:

> Se plantea así el problema de las relaciones texto-representación, en general los de literatura-espectáculo y por tanto la cuestión de aislar el objeto con el que la crítica teatral debe enfrentarse...
>
> Algunos autores proponen filmar la representación y así obtener un objeto duradero para estudiar, pero aparte de otras objeciones, presenta el obstáculo ciertamente grave de que de este modo sea «traducido» un medio artístico a otro distinto, con «gramáticas distintas».
>
> Existe también la posibilidad de abordar el texto como una escritura en que se haya inscrito el espacio, gracias al mismo texto y a las acotaciones escénicas. A pesar de que así sólo se asumen aspectos parciales del problema, indudablemente en numerosas ocasiones lo único que poseemos para analizar es el texto[1].

Y puesto que el objeto del análisis —como ya queda dicho más arriba— es un producto finito, el

---

[1] «Teoría y técnica del análisis teatral», AA.VV., *Elementos para una semiótica del texto artístico,* Madrid, Cátedra, 1978, pág. 167.

presente trabajo se encamina hacia la puesta en práctica de una lectura interpretativa —a la par que orientadora—, en contraposición a la puesta en escena, variable a todas luces en función de la circunstancia histórica y de los presupuestos estéticos de cada época. (Si se nos permite un símil, diremos, por ejemplo, que lo que, en las Cantatas de J. S. Bach, permanece invariable desde hace más de dos centurias, son las partituras respectivas; mas sus ejecuciones musicales se han visto sometidas, a lo largo del tiempo, a diferentes interpretaciones, con arreglo a múltiples criterios, sin que haya por ello de erigirse ninguna de entre todas en modélica.)

La obra teatral comporta el «hecho» literario menos adecuado a la hora de establecer un modelo ideal, toda vez que la misma no está destinada de inmediato a un lector-modelo, perdurable en el tiempo, sino a un público circunstancial, a horcajadas sobre el bólido fugaz del momento histórico, capaz de manejar los códigos que conforman su realidad más próxima y evidente, mas no tanto dispuesto a una descodificación personal y meditada.

Así pues, nos hallamos ante un texto potencial, susceptible de múltiples lecturas en distintos niveles; susceptible asimismo de una puesta en común, cual será la representación escénica, «guiada», tendente a una recepción unívoca. (Frente a cuanto sucede en la obra teatral, tanto en la poesía como en la novela prevalece la lectura, forma de recepción individual, plurívoca, menos mediatizada en el acto de la descodificación, más amoldable al ritmo receptivo de cada lector, por lo que el juego dialéctico del *feed-back* se hace más realizable.)

Supuesto que no somos público espectador sino lectores, que buscan, por tanto, en la palabra escrita toda una constelación mensajística (ya sea textual, contextual o intertextual), hemos de recrear, por una parte, esa realidad espacio-temporal, vivencial e inmediata, que afecta puntualmente al momento histórico de *figurantes* y de espectadores, realidad que la propia obra entraña y que hace comprensible, en gran medida, su éxito de cartel; esa realidad caduca, irrepetible, que, si no queda encofrada entre los moldes del testimonio escrito, acabará perdiendo a buen seguro su vigor primigenio al cabo de unos lustros, barrida por la fuerza irrefrenable del alud temporal. La tarea de glosar y de «enlatar» esa realidad efímera queda materializada fundamentalmente en las notas al texto. Porque si la obra-espectáculo no es sino un producto más que se consume conforme a la dinámica de la «producción industrializada», la obra-libro salvaguarda cuanto de cultural (no comercial, por ende) se encierra entre sus páginas escritas. Como dice Umberto Eco:

> Por pesimista que sea, la aparición de ediciones críticas o de colecciones populares son muestra de una victoria de la comunidad cultural sobre el instrumento industrial con el que felizmente se halla comprometida [2].

Pero por otra parte, trataremos de suplir la pragmática externa del texto teatral —que implica otros lenguajes y otros códigos: gestual (kinésico, proxémico), icónico-visual (montaje, decorado, vestuario, luminotecnia...) y acústico (prosodia en general, registros de dicción, efectos de sonido, sin olvidar la música, sea interna a la obra o ambiental) [3]—, por esa

---

[2] *Apocalípticos e integrados ante la cultura de masas,* Barcelona, Lumen, 1986, pág. 59. *(Vid.* notas 1 y 2 a la escena tercera del acto I.)

[3] «¿Qué es el teatro? Una especie de máquina cibernética. cuando descansa, esta máquina está oculta detrás de un telón. Pero a partir

otra pragmática de régimen intrínseco, a la vez que intertextual y proyectivo (puesto que todo texto de una obra guarda una relación referencial con hechos de cultura constelados en su misma órbita), que nos conduce a una lectura crítica, no convergente en muchas ocasiones con la que se practica en esa comunión del consumo público. Dice Umberto Eco:

> El texto es una máquina perezosa que exige del lector un arduo trabajo cooperativo para colmar espacios de «no dicho» o de «ya dicho»... [4].

Supone esta lectura, por tanto, el abordaje del texto en cuestión por su eje vertical, registrándose una serie de niveles: desde el más superficial, denotativo, hasta el más profundo, el del trasfondo mítico-simbólico. Hay que tener en cuenta, de otra parte, la doble dimensión en que los elementos de la obra se organizan: *a*) anafórica, relación sintáctica entre los diversos elementos dentro del mismo nivel; relación, por tanto horizontal, en el nivel de la trama, y *b*) anagógica, relación semántica entre elementos de niveles distin-

---

del momento en que se la descubre, empieza a enviarnos un cierto número de mensajes. Estos mensajes tienen una característica peculiar: que son simultáneos, y, sin embargo, de ritmo diferente; en un determinado momento del espectáculo, recibimos *al mismo tiempo* seis o siete informaciones (procedentes del decorado, de los trajes, de la iluminación, del lugar de los actores, de sus gestos, de su mímica, de sus palabras), pero algunas de estas informaciones se *mantienen* (éste es el caso del decorado), mientras que otras *cambian* (la palabra, los gestos); estamos pues ante una verdadera polifonía informacional, y esto es la teatralidad: *un espesor de signos* (...). Estos signos dispuestos en contrapunto (es decir, a la vez espesos y extendidos, simultáneos y sucesivos) (...) están presentes en el teatro; incluso puede decirse que el teatro constituye un objeto semiológico privilegiado, puesto que su sistema es aparentemente original (polifónico) en relación al de la lengua (que es lineal).» (Roland Barthes, «Literatura y significación», en *Ensayos críticos,* Barcelona, Seix Barral, 1967, págs. 309-310.)

[4] Umberto Eco, *Lector in fabula,* Barcelona, Lumen, 1981, pág. 39.

tos, ya sean intrínsecos a la obra, ya pertenezcan a creaciones artístico-culturales diferentes.

El fenómeno teatral nos lleva a plantearnos lo siguiente (dejando a un lado el problema de la construcción dramática propiamente dicha): cómo funciona el código lingüístico-literario. Como ya queda dicho más arriba, éste se potencia y dinamiza auxiliado por otros sistemas semióticos a la hora de la representación. Mas cuando nos ceñimos al análisis crítico del texto, ineludiblemente nos hallamos ante un sistema lingüístico que debe responder a las normas específicas de hipercodificación, esto es, a las normas del lenguaje literario. Hay textos cuyo autor adopta en ellos, de manera consciente y palmaria, el lenguaje propiamente literario (Valle-Inclán, García Lorca...), y textos, asimismo, cuya materia prima no es fruto de una elaboración estética, no obstante lo cual funcionan como obras literarias: es el caso de obras (en general dramáticas) forjadas con lenguaje coloquial, que de suyo supone una ruptura con la «norma», en sentido negativo.

Con mayor intensidad que en otros géneros, propende en el dramático el autor a organizar, en torno a un núcleo nodal y conflictivo, tanto una situación como una historia en un mundo posible, escénicamente realizable merced a un elenco actuante y un público espectador. ¿Dónde reside, pues, la literaridad de lo dramático? A nuestro modo de ver, en la capacidad de la palabra para dar forma a ese mundo dramático concebido como tal. La palabra emisaria de la obra dramática requiere una carga semántica de efecto sugestivo, capaz de suscitar en el espectador (entendido como un colectivo de individuos) el impacto emocional e intelectual que mueva a cada uno a la descodificación de los mensajes en función de su «enciclopedia» cultural.

Por otra parte, la organización interna del hecho dramático, en relación sintáctica, es lo que confiere la coherencia a una obra teatral. Pues bien, en el caso de una escritura cuyo lenguaje objeto se ha extraído del registro coloquial en gran medida, produce en el público esa ilusión de lo inmediato, la sensación de hallarse ante un *ethos* dramático tan vivo como la vida misma. Pero aun así, y examinado el texto en actitud de críticos lectores, comprobamos que en muchas ocasiones se ha servido el autor del código sintáctico-semántico familiar y espontáneo, mas no ya como forma de comunicación directa, sino más bien como recurso de alusión connotativa, paródica a las veces, que como tal remite a otros textos, a otras «enciclopedias» (Eco), en una relación transtextual, de modo que el lenguaje coloquial no agota su semiosis en la obra misma, sino que se convierte en un significante de «segundo grado» (Barthes), cuyo *denotatum* es patrimonio de otro u otros textos.

La clave de un texto teatral comporta la lectura intertextual, no sólo en el dominio literario sino también en cualquier otro terreno donde el quehacer humano ha dejado su impronta. Entendida una obra literaria (teatral en el caso que nos ocupa) como una encrucijada en que confluyen textos de toda índole, la clave intertextual permite desentrañar los múltiples mensajes tanto en forma sincrónica como diacrónica: sincrónica, por un receptor-masa (el público) en virtud de las representaciones; diacrónica, a través principalmente de la lectura crítica e individual, practicada por receptores de épocas y medios culturales diferentes. Convocamos nuevamente las palabras de Umberto Eco:

Los textos son el resultado de un juego o de unidades semánticas preestablecidas en el campo virtual de

> la semiosis ilimitada, pero el proceso de semiosis ilimitada puede reducirse a sus descripciones parciales sólo cuando se está en presencia de determinado texto o grupo de textos... Los mismos cuadros hipercodificados son el resultado de la circulación intertextual previa... [5].

En el panorama ofrecido al comienzo de este libro, hemos procurado reflejar el contexto histórico-artístico en que se lleva a efecto la representación de *Bajarse al moro,* por lo que respecta (y explica en cierto modo) a la acogida de la obra tanto por parte de la crítica como del público. El recorrido histórico en cuestión marca la trayectoria del autor, destacando el viraje producido con su drama *El álbum familiar,* cambio que puede interpretarse bien como puramente personal, o bien condicionado por las circunstancias y el ambiente estéticos.

José Luis Alonso de Santos comienza su andadura teatral como autor-director-dramaturgo, plasmando en su producción creativa una fórmula de cuño intertextual, en la que se amalgaman diversos tratamientos literarios, como son el pastiche y la parodia con intención burlesca, grotesca, o vertida a veces al gusto infantil. Se trata de unas obras destinadas —de acuerdo con los cánones al uso del teatro independiente— a una minoría de intelectuales disidentes, que gustan de reconocer y desentrañar en ellas un trasfondo cultural cifrado en clave, una «enciclopedia» secreta.

Los dramaturgos innovadores de los años 70 tratan, pues, de encontrar un lenguaje adecuado a este tipo de códigos: un lenguaje simbólico —verbal o artístico-gestual— capaz de desplegar la ambigüedad y fuerza necesarias con que poder expresar lo prohibido,

---

[5] Umberto Eco, *op. cit.,* pág. 38.

desvelar los tabúes, deformando y transformando para ello la materia literaria cuyo referente inmediato es la realidad objetiva. La llamada «crítica social» se ejerce, por tanto, desde un parapeto literario y artístico, cuyo destinatario principal es un público advertido, «iniciado». Se orienta de este modo el espectáculo hacia un acto de comunicación llevado a efecto con medios de expresión propios del código literario y artístico, pretendiendo con ello provocar la reacción del público, mas no como pasivo espectador, sino para ejercer su participación comprometida en el hecho dramático al que asiste. Paralelamente a este teatro restringido, se siguen produciendo y estrenando obras de corte tradicional, que tienen por destinatario a un público más amplio: desde los propios adeptos al teatro independiente hasta el aficionado medio.

Mientras en el teatro de Buero o de Gala el *texto-escritura* comporta el mismo rango que el resto de los componentes de la obra dramática (incluidos los efectivos de la puesta en escena), debido a que la construcción y el lenguaje (una y otro entendidos como formas del hecho literario) producen efectos similares en la lectura y en la representación (pues la intensidad dramática opera en este caso por igual en el lector y en el espectador), el teatro innovador de los años 70 introduce experiencias dramatúrgicas en las que prevalece la libertad del actor sobre la coerción del texto, así como también la libertad del director sobre la del actor y sobre el texto y, como ya se ha dicho, la facultad del público de participar en el acto lúdico de la representación. Esta manera de concebir y tratar lo dramático sacraliza el espectáculo teatral, volviéndolo «espectáculo total», en el que el texto queda relegado a una mera función de «bastidor», de guión sobre el cual cada miembro actuante ejercita sus dotes creativas, expresadas en múltiples lenguajes, a veces adoptados para efectos intensificativos. (¿No supone todo esto, en cierto modo, una vuelta a la *commedia dell' Arte?*)

En el teatro de Francisco Nieva, los recursos lingüísticos funcionan como recursos dramáticos: el público se mantiene expectante ante «cómo lo dicen» (los actores) más bien que ante «qué hacen». Se trata aquí de formas teatrales en que prima el enfoque intertextual y la deliberada combinación de códigos, que tendrían raramente su acomodo en una «enciclopedia» general, patrimonio cultural del espectador medio, es decir, en una «enciclopedia» de consumo.

Llegados a este punto de nuestra exposición, se hace necesario abordar el concepto de *producto artístico-literario destinado al consumo* (véase U. Eco, *Apocalípticos...,* cit., *passim*). Cabe cuestionarse a este propósito si el espectáculo total (al que hemos aludido más arriba) no es sino una modalidad «consumística» más, disfrazada con la máscara retórica de las múltiples posibilidades de comunicación artística, tal vez debido a la necesidad intrínseca de ser consumido todo espectáculo.

Bajarse al moro forma parte de un ciclo que representa un cambio en la trayectoria artística de Alonso de Santos, cambio manifestado tanto en la construcción como en el tratamiento del lenguaje. Anterior a este ciclo, *El álbum familiar* responde a una instancia creativa de perfil egocéntrico, en la que lo dramático no estriba ni en la acción ni en la palabra, sino en la analogía entre lo teatral y lo real, dentro de un espacio que se crea entre el autor-protagonista y el espectador. Alonso de Santos (el José Luis escénico) adopta y manipula elementos autobiográficos para proyectarlos sobre un fondo onírico; la incidencia de la historia personal ayuda al público a desarrolllar, fuera del teatro-espectáculo, el propio *texto individual* por parte de cada espectador. (Vendría a ser como una alegoría abierta que cada cual pudiese rellenar con elementos de su propia vida.) La mezcla de tiempos y espacios interiores dentro del espacio de la escritura desemboca, de manera intensificadora, en la espacialización del tiempo y la temporalización del espacio, merced a un juego de vaivén y a una clave simbólica. Esta clave simbólica —naturalmente, oculta bajo el nivel superficial del texto y no accesible, por tanto, a una lectura plana y expansiva— se da asimismo en *Bajarse al moro*, obra que, junto a *La estanquera de Vallecas* y *Fuera de quicio*, marca una nueva etapa en la dramaturgia de Alonso de Santos. Se trata aquí de textos elaborados como tales, con su propia entidad, concebidos como escritura cerrada, refractaria a la improvisión escénica. (Digamos al respecto, como inciso, que han sido mínimas las modificaciones textuales en la representación de *Bajarse al moro*.)

En la obra que aquí nos ocupa, utiliza el autor como fuente de inspiración la realidad que le rodea, haciendo resaltar una serie de códigos circunstanciales, que operan en el mundo cotidiano y que el autor entiende relevantes para testimoniar el momento histórico en que la acción de la obra se sitúa, códigos de otra parte familiares al acervo enciclopédico de un público-masa. Nos hallamos, en *Bajarse al moro*, ante una estructura dramática equilibrada, en función de la cual los personajes actúan conforme a los imperativos de la intriga, el nudo conflictual y el desenlace. Por lo que se refiere a los registros del lenguaje, se da fundamentalmente el nivel coloquial del mismo, y, dentro de él, predomina el argot de la marginalidad (la jerga de la droga, el «hablar caliente», el lenguaje «cheli», o como se prefiera). Diríase que estamos ante una obra que responde fielmente a una receta teatral, destinada a convertirse, a la hora de su representación, en un producto de presumible éxito, integrado en la dinámica de la sociedad de consumo.

La intertextualidad, tratamiento predilecto en el quehacer literario de Alonso de Santos, se manifiesta, en *Bajarse al moro,* por el ajustado engranaje del texto con los contextos socio-culturales, relación generadora de la red en cuyas mallas queda atrapado el espectador-consumidor de arte de nivel medio. El texto se puede interpretar como una parodia del código socio-cultural que opera en el ciudadano medio (y, más concretamente, en la población joven). Mas la parodia llega a ser sarcástica cuando pone en la picota los tópicos caducos y las hueras soflamas de los intelectuales «progres» de los años 70, más tarde convertidos en prósperos ejecutivos, bien encaramados en el sistema.

En el nivel sintáctico, la parodia queda construida mediante un ensamblaje de elementos cada uno de los cuales pertenece, en origen, a un código distinto [6]. Una vez perdida la clave que nos permite situar e identificar los «textos» originarios de los cuales se han extraído los diversos segmentos que articulan la parodia, la obra dejará de poseer el vigor mensajístico que tuvo para el público que asistiera a su estreno o para el lector coetáneo a la acción de dicha obra, para convertirse de este modo en un texto de nostalgias, sazonado de vagas connotaciones, semejante a *Las bicicletas son para el verano* de F. Fernán Gómez.

En cuanto a la dimensión semántica, puede consi-

---

[6] ¿No representa esto, en cierto modo, una vuelta a lo medieval, en que lo original de cada obra estriba en la manera de ensartar (sintácticamente) elementos de diversa procedencia? ¿No forma asimismo el hombre primitivo su andamiaje social extrayendo para ello signos de filiación heterogénea, al modo de un *bricoleur?* (C. Lévi-Strauss, *La pensée sauvage*).

derarse el texto de la obra como una entidad literaria en sí misma, al margen de las circunstancias socio-históricas en que fue producida y consumida, siempre y cuando la constelación de significaciones quede apuntalada en forma de notas explicativas. Y por lo que respecta al lenguaje, lo vivo y auténtico —rasgo del registro coloquial— se halla articulado en un molde sintáctico cerrado, que supone la elaboración de un estilo a base de idiolectos que gravitan sobre ciertas palabras-clave, ricas en significación tanto denotativa cuanto connotativa (de cara al receptor). En la forma de hablar de cada personaje, tenemos la impresión de que el autor reproduce fielmente las formas de expresión que, de ordinario, oímos en la calle, cuando en realidad remeda, parodia, de forma selectiva, unos hábitos lingüísticos. Tal vez nos encontremos, por tanto, ante una comedia al estilo benaventino, de burguesa actitud recreativa, en que no se critica en absoluto la estructura social ni es puesta en la picota la desigualdad de clases, sino que se limita a parodiar un enjambre de códigos lingüísticos y socio-culturales. La leve distorsión de la realidad y la suave caricatura, de trazos evidentes a veces, mantiene el tono ligero y hasta provoca la risa, haciendo de esta obra un pariente cercano del sainete (aspecto este apuntado asimismo por la crítica).

LECTURA CRÍTICA DE «BAJARSE AL MORO»

En el plano más superficial, la obra se articula en una serie de líneas intertextuales y de *topics* (término éste adoptado en la acepción de U. Eco), en una relación ya coordinativa, ya subordinativa. Podemos destacar, en primer término, el código del orden social frente al de la marginalidad, códigos éstos que se manifiestan sea de forma explícita (lingüística), sea de forma implícita (situacional); el del sistema educativo frente al rechazo (crítico o visceral) por parte del estudiante inadaptado, o el código familiar frente al de los partidarios del amor libre, etc.

La pugna y el contraste entre los códigos socialmente homologados, de una parte, y de otra, la conducta y la actitud del individuo refractario a ellos (quien a veces afirma su postura con soflamas de tono apocalíptico) marcan la clave para entender la esencia dramática del texto. Asimismo podemos resaltar la presencia de varios elementos que son concomitantes con una red de módulos socioculturales que inciden en el público expectante y que dimanan de los personajes: revistas de comics (como *Víbora* o *Tótem*), retratos de cantantes («la cara de Lennon»), sin olvidar las canciones de moda que se insertan en la obra (la canción de Los Chunguitos, por ejemplo), ni el libro de U. Eco *Apocalípticos e integrados...*, ni las distintas alusiones a la película *Casablanca*. Toda esa cultura de consumo, confeccionada a partir de subproductos de la más heteróclita progenie, siguiendo la práctica del *collage*, comporta un elemento relevante en *Bajarse al moro*, en cuanto al espacio intertextual que genera.

El decorado que impregna y da perfil al espacio escénico ante el que nos hallamos, constituye claramente un fenómeno *Kitsch*[7]. No es, por tanto, accesoria a este tenor la presencia del libro mencionado (véa-

---

[7] «... el Kitsch (...) es un poco el opio del pueblo, en el sentido en que produce una mediación insinuante y tranquilizadora entre los seres y las cosas y acelera la integración del individuo en el sistema de valores burgueses.» (J. B. Fages, C. Pagano, P. Cornille y B. Fery, *Diccionario de los medios de comunicación,* Valencia, Fernando Torres, Editor, 1975, páginas 141b-142a.)

se el comienzo de la escena 3.ª del acto I), del cual entresacamos lo siguiente:

> Si se admite que una definición del Kitsch podría ser *comunicación que tiende a la provocación del efecto,* se comprenderá que, espontáneamente, se haya identificado el Kitsch con la cultura de masas; enfocando la relación entre cultura «superior» y cultura de masas, como una dialéctica entre vanguardia y Kitsch. *(Apocalípticos...,* cit., pág. 87.)

> Podríamos definir, en términos estructurales, el Kitsch como *el estilema extraído del propio contexto, insertado en otro contexto cuya estructura general no posee los mismos caracteres de homogeneidad y de necesidad de la estructura original, mientras el mensaje es propuesto —merced a la indebida inserción— como obra original y capaz de estimular experiencias inéditas.* (Ibídem, pág. 129.)

> *El Kitsch es la obra que, para poder justificar su función estimuladora de efectos, se recubre con los despojos de otras experiencias, y se vende como arte sin reservas.* (Ibíd., pág. 132.)

Si bien, pues, los elementos adosados según procedimiento del *collage* son productos de ajena procedencia, de filiación espuria, ya una vez ensartados en el espacio escénico, su perfecto ensamblaje les confiere carta de naturaleza. El uso que los mismos personajes hacen de estos elementos —uso tan familiar, tan espontáneo— hace que los sintamos en su sitio, llegando a proyectarse, dado el caso, en un plano mítico-simbólico.

Bien es cierto que, vista en superficie la comedia —como la ve en su representación el espectador medio—, cobra todas las trazas de un sainete; visto, en cambio, su texto en lectura individual y reposada, es posible asimismo una interpretación en vertical, más profunda por tanto. Será esta segunda modalidad lectora la que intentemos seguir, especialmente, en el presente capítulo, aun a sabiendas de su cuestionabilidad para cualquier otro lector no acorde con nuestro método de trabajo.

Como texto dramático, el que aquí nos ocupa presenta a sus personajes principales desde un comienzo (a diferencia, en general, de los textos narrativos, cuyos personajes son pergeñados paulatinamente). Surgen, en primer término, en escena dos chicas y un muchacho: Chusa, Elena y Jaimito; poco más tarde, aparece Alberto, con lo que ya tenemos un cuadrilátero en aparente convivencia equilibrada. Doña Antonia, madre de Alberto, es ese personaje discordante que rompe el remanso ambiental cada vez que entra en escena; otros dos personajes finalmente, Abel y Nancho, irrumpirán en el espacio escénico (final del primer acto) con urgencias de droga, provocando en la acción nuevo desequilibrio. Aparte de estos siete personajes —explícitos, visibles—, tenemos otros tres —implícitos, ausentes de la escena— cuya influencia argumental, sin embargo, es de gran relevancia: son el padre de Alberto, la madre de Elena y el cura vecino (con la voz de este último en *off*).

La intencionalidad connotativa que a lo largo de la obra se perfila, asoma ya en los nombres de algunos personajes. Así, frente al de Elena y el de Alberto, tenemos el de Chusa (hipocorístico) y el de Jaimito, cuya carga burlesca es evidente (cfr. n. 4 a la escena primera del acto II): «DOÑA ANTONIA. (...) Jaimito ese, que es un Jaimito de verdad.»

No hay que perder de vista las acotaciones en la lectura de un texto dramático, a través de las cuales determina el autor las coordenadas espacio-temporales en que cada personaje se sitúa. (Hablaremos aquí de espacio y tiempo relativos al texto, no a lo escénico, pues en este último caso el espacio y el tiempo pueden dilatarse o contraerse en razón de los diversos criterios de realización.) En la acotación inicial, se nos representa un espacio cerrado, mantenido uniforme a lo largo de la obra; el cambio temporal tendrá lugar a partir del bastidor de dicho espacio (como la cuerda tensa sobre el arco), lo que conlleva una intensificación dramática que confiere al espacio cerrado un papel primordial en la obra.

La primera impresión sensorial del espacio que nos llega emanada del texto, lleva la impronta del adjetivo «destartalada». Se trata de una habitación donde la mezcla heteróclita de objetos —cada uno filial de un canon cultural y socio-económico distinto— produce el efecto de un *collage*. En un espacio cerrado y reducido, y junto a esa trabazón de objetos-signo, se da un cúmulo de mentalidades diferentes, propias de épocas distintas, o, si se prefiere, una serie de hábitos y actitudes, reflejados en ese conglomerado de objetos procedentes del mundo del consumo. El espacio que la acotación nos representa, es una manifestación de lo *Kitsch,* que aspira a investirse de nobleza merced a los objetos que lo integran, una vez perdida en ellos su inicial función de objetos de consumo. Perdida, pues, su utilidad primigenia, los objetos devienen meros elementos decorativos. En medio del discurso descriptivo, hay un «sin embargo» con que el propio autor inserta su apostilla orientadora: «Y, sin embargo, a pesar del aparente desorden, hay algo acogedor, relajante y bueno para los que están mal de los nervios; porque es un lugar tranquilo y pacífico donde el caos que uno lleva dentro se encuentra lógico y con ganas de tomar asiento.» Vemos, de este modo, cómo se contraponen, de un lado, la descripción objetiva de un encuentro caótico de objetos y, de otro, el guiño (subjetivo) del autor que nos advierte de la unidad que, pese a todo, confiere a los objetos el espacio. El aparente caos exterior viene a ser, en este caso, lenitivo y antídoto del caos interior, cuando lo más normal hubiese sido la coherencia entre el orden (o desorden) externo y el interno. Aquí, pues, las funciones se invierten, mas lo hacen respondiendo a una clara intencionalidad. El desorden inicial dará paso a un espacio organizado a medida que éste se vaya despojando de elementos (por ejemplo, con la desaparición de Alberto con todos sus efectos personales); mas tal organización se verifica con la consiguiente pérdida de la tensión dramática que ha impulsado la marcha de los acontecimientos. De un caos relajante, rico a la vez en potencial dramático, se pasa, pues, a un equilibrio estéril: el desengaño y la desesperanza se adueñan del ambiente.

En este espacio cerrado, damos, desde el comienzo, con un personaje, tal vez el principal: Jaimito, cuyo aspecto reviste ribetes de antihéroe. Desempeña un trabajo artesanal: hace sandalias de cuero, actividad que recuerda a la de toda una generación *hippy*. La soledad de Jaimito en el espacio que le rodea, es la propia de un ser en paz consigo mismo, en apacible compañía de la música moderna («Chick Corea») y en plena luz del día («Es la una de la tarde y entra el sol por la ventana»). Rompe de pronto la calma del ambiente la irrupción en escena de la pareja femenina: Chusa y Elena. La acotación del autor presenta a ambas marcando el contraste externo que debe percibirse entre una y otra: «Chusa, veinticinco años, gordita, con cara de pan y gafas de aro»; «Elena (...), guapa, de unos veintiún años, la cabeza a pájaros y buena ropa». Por su aspecto, la primera se empareja con

Jaimito, en tanto la segunda cobra semejanza con ese otro personaje que ha de aparecer poco más tarde: Alberto. (Una y otra pareja son los representantes respectivos de la marginalidad y la integración.)

Huyendo del hastío de su casa —tal nos lo explica Chusa—, busca Elena refugio en ese espacio que a ella se le antoja de aventura; pretende por capricho integrarse en el mundo de la marginalidad, renegando de los códigos que le constriñen a bailar el compás de los integrados. Se trata, por tanto, de una falsa rebeldía, que no será a la postre sino el cambio de un ambiente familiar por otro novedoso, sin que suponga en ella en ningún caso un cambio de actitud ante la vida. Chusa acoge en su casa, fraternal, a esa amiga improvisada que ha encontrado en la calle, dispuesta a acompañarle en la aventura de *bajarse al moro*. La obra gira en torno al proceso iniciático de Elena, la neófita, en la difícil prueba de la compra y el tráfico de droga. Si Chusa y Jaimito formaban juntos un tándem de trabajo, la intrusión de Elena representa el nudo conflictivo en la dinámica del drama. Al comienzo, Jaimito se opone a tal empresa; la juzga un desatino, pero Chusa se sale con su empeño, impulsada por un sí es no es de sentimentalismo (si bien se verá más tarde que el desinterés de Chusa era aparente, ya que Elena aportará el dinero para llevar a cabo tal empresa): «No tiene casa. ¿Entiendes? Se ha escapado. Si la cogen por ahí tirada... No seas facha. ¿Dónde va a ir? No ves que no sabe, además.»

En nuestro intento de analizar el trasfondo mítico-simbólico del texto, pondremos de relieve los elementos que lo constituyen. La condición de profana en las lides de la droga, que afecta a Elena, queda expresada ya en las últimas palabras de la cita: es, pues, «la que no sabe», la no iniciada. Si bien *Bajarse al moro* puede entenderse, por un lado, como una vulgar aventura de pobres delincuentes en busca de hachís, es posible asimismo interpretarlo como el camino iniciático que conduce a una neófita al encuentro del objeto prohibido. Ambas dimensiones nos permiten otras tantas lecturas: una lineal, otra en profundidad, la segunda de las cuales tal vez sobreviva con mucho a la primera, una vez pierda ésta su vigencia como producto consumible en un periodo histórico.

La aparición del cuarto personaje, Alberto, no es directa sino por referencia que de él hace Chusa ante Elena. Como al héroe clásico, precede a Alberto la aureola de la fama. El espacio reservado a él en la casa es tabú para los demás: «Ese es el rincón de Alberto; no le gusta que le desordenen ni le toquen nada. Ya le conocerás luego. Está chachi, te va a gustar. Es muy alto, fuerte, moreno, con una pinta que te caes.» Elena, ingenua, pese a la prohibición coge un objeto cuya identificación le es dudosa: «Parece una porra. (...) Oye, es igualita que la que llevan los...» Chusa le recrimina en cuanto se apercibe de tal acto: «No toques eso; es de Alberto. Se mosquea rápido en cuanto nota que alguien ha andado ahí.» Se trata de un objeto cuyo nombre nadie osa pronunciar abiertamente, de un objeto tabú perteneciente a un personaje «sagrado» (héroe o semidiós, tanto por la descripción que ha hecho Chusa como por su situación ventajosa respecto de los otros personajes), con un sitio reservado para él, también «sagrado», dentro del espacio profano. La irrupción de Alberto, «vestido de policía nacional» («Tiene unos veinticinco años, alto, y buena presencia»), gritando a voz en cuello: «¡La policía! ¡La policía, tíos! ¡Rápido, que vienen! ¡Tirar al wáter lo que tengáis!», provoca el estupor en la inocente Elena; pero con su actitud Alberto se «desacraliza», toda vez que, al mostrarse solidario con sus amigos (el delito), se ha despojado de su investidura policial, tanto que hasta suscita la duda en la propia Elena, quien le pregunta cándida: «¿Por qué tienes puesto ese uniforme?» Tal estado de cosas hace que Elena se sienta familiar en ese mundo que en un comienzo se le presentaba como algo misterioso y de aventura.

Este clima dramático se distiende de pronto, derivando hacia lo cómico, al surgir en escena Doña Antonia, la madre de Alberto, pues la buena señora recrimina a su hijo en tales términos que, por si fuera poco lo de antes, le apean sin remisión del pedestal: «¿Se puede saber qué haces aquí, golfo, más que golfo?» Así pues, lo sagrado más bien se manifiesta en forma mítica, por vía de referencia, y no con la presencia del ser mitificado. Que Doña Antonia no acaba de asumir el que su hijo sea policía, lo vemos claramente cuando su reacción de cleptómana temerosa de que llegue la policía y descubra su alijo de baberos: «¡La policía! ¡Que viene la policía!»

Juego de lo sagrado y lo profano, el valor relativo de ambos términos en función de cada personaje responde a una intencionalidad paródica. Lo sagrado opera en la realidad en cuanto inaccesible; mas ya una vez las cosas al alcance de la mano, se ve en ellas el lado lucrativo. Al decir lo sagrado, sin embargo, debe tenerse en cuenta juntamente lo tabú, lo vitando, que viene a ser lo sagrado negativo. Lo sagrado en Doña Antonia se «profana», porque es el saldo lucrativo lo que cuenta en sus esquemas; el efecto cómico que inspiran sus grotescas referencias a las reuniones neocatecumenales se debe a la inconsciencia de sus contradicciones, con lo que el autor nos lanza un guiño irónico. En su actitud para con lo político, vemos en Doña Antonia un espíritu no menos positivista e interesado, con todas sus contradicciones internas: por una parte, el nuevo régimen que gobierna el país está muy bien, ya que a ella le reporta beneficios (la nueva situación de su marido); por otra, sin embargo, el mundo está corrupto y pervertido. En una palabra, acepta oportunista la señora la parte ventajosa y lucrativa del nuevo estado de cosas, aun cuando su mentalidad retrógrada repruebe acremente ciertas libertades de costumbres, sin caer en la cuenta de la correlación entre los distintos factores de una misma realidad. Como en la fábula de la zorra y las uvas, para Doña Antonia es tabú, cuando no odioso y deleznable, todo aquello a lo que no tiene ella acceso. El registro cómico en que se nos presenta la actuación de dicho personaje, corre parejas con el del sainete, subgénero éste en el que la crítica ha encuadrado tan insistentemente la obra que nos ocupa.

Doña Antonia constituye un elemento discordante en la armonía espacio-temporal establecida entre Jaimito, Chusa y Alberto, lo cual se pondrá de manifiesto más adelante. La antigua amistad entre los dos chicos, así como las relaciones íntimas entre Chusa y Alberto, que, en aquel espacio cerrado, obedecen a un código interpersonal, se irán deteriorando hasta acabar por romperse. Como personaje, Doña Antonia apenas si funciona en la dimensión mítico-simbólica; aparte las razones aducidas más arriba, porque no encarna la figura de la *Madre;* en cambio, comporta un *funtivo* (Hjelmslev) relacional entre los diversos códigos que, entrecruzándose, recorren la obra (puede servir de ejemplo en esto último su afán de «redimir» y de integrar en la sociedad «decente» a los descarriados compañeros de su hijo, a través de las reuniones neocatecumenales). Las sucesivas irrupciones de Doña Antonia en el espacio escénico llevan consigo la ruptura del equilibrio ambiente y el consiguiente corte secuencial, salvo excepciones.

Para Jaimito o Chusa, Alberto es un amigo o un amante, un integrante más de aquel espacio, para salir del cual necesita un disfraz. A los ojos del lector (o espectador), bien puede resultar un personaje petulante, a caballo entre dos mundos: el de los delincuentes, amigos, marginados, y el de la ley, el orden, el decoro, mundo éste en Alberto hecho imagen a través del uniforme disfraz y de la porra, insignia del poder, símbolo fálico, adminículo que a menudo olvida en casa. En el espacio cerrado, Alberto encarna la figura del héroe en cuanto representa el mundo del «afuera», del poder; por eso, al reintegrarse en el «adentro», pierde tal atributo; su conducta ambivalente se nos antoja cómica, ya que no logra asimilar los emblemas de su nueva condición profesional. Para Chusa, «Alberto es normal, aunque le veas así vestido de policía»; mas esa condición de normal conlleva el que la joven lo coloque en un pedestal de admiración supervalorativa. En resumidas cuentas, Alberto representa la imagen del héroe visto de dentro afuera (para Chusa o Elena, y hasta para Jaimito); visto de fuera adentro (para el espectador o el lector), su forma de proceder vacilante y atolondrada, cuando no cobarde y egoísta, hacen de él un ser vulgar y sin relieve alguno.

Una vez presentados en escena los cinco personajes principales, se trenza el motivo argumental con los preparativos de la aventura. Las chicas quedan solas y Chusa cuenta a Elena el plan e itinerario del próximo viaje: la ya iniciada instruye a la neófita sobre los pormenores del ritual. La descripción del viaje imaginado va de lo más fútil y prosaico —no exento de ironía: «Sí, en Atocha. Montamos en el tren, una detrás de la otra. Antes hay que sacar los billetes. (...)

61

Bueno, mira: vamos primero a Algeciras (...). Y luego allí, un barco nos cruza en dos horas.»— a una visión idílica, casi idealizada: «... Chagüe, que es un pueblecito rodeado de tres montañas, muy bonito, como esos que salen en las películas, con los techos así redondos, todo blanco, precioso.» Henos aquí, pues, ante un tópico «peliculero» como dechado de una realidad atrayente, con lo cual encaja Chusa su experiencia viajera en el canon cultural de su entorno. La relación se adentra en detalles triviales (horarios, medios de transporte, posadas, pulgas...), sin dejar de lado el pintoresquismo costumbrista o el lugar de la meta, nimbado de misterio: «una pensión muy bonita que hay, chiquitita».

El relato de Chusa da soporte a una doble lectura: una en horizontal, icástica, literal; en vertical la otra, entendida como el rito iniciático del *descensus ad inferos* en busca del objeto misterioso. Elena, la «catecúmena», debe imaginar, a través de las palabras de Chusa —guía y sacerdotisa—, una experiencia trascendente, iniciática. Acompañar a Chusa significa embarcarse en la aventura rumbo hacia un mundo desconocido en pos del fruto prohibido. Subir a la montaña representa la transfiguración del peregrino, logrado su objetivo. Mas no acaba la prueba en este punto: semejante a los dominios de Cerbero, la aduana les aguarda vigilante, a cuyos custodes habrá que sobornar o sortear para seguir con el botín indemne. Finalmente, el viaje de regreso entraña el remate de la prueba: al igual que Perseo no ha de mirar de frente la cabeza de Medusa —trofeo de su hazaña— si no quiere convertirse en piedra, las dos muchachas deben llevar oculto su alijo, única manera de que éste llegue a salvo a su destino: «¡Ah! Y luego muchísimo cuidado en el tren, que es donde cogen a los pardillos. Sacas un porro, se corre el asunto, y ya te la has liado.» Este plan de Chusa, sin embargo, se torcerá en cierto modo, ya que será ella sola quien emprenda el viaje; de este modo, el binomio guía-héroe queda fundido en un solo personaje. Por otra parte, Chusa contraviene su propia advertencia hecha a Elena; consecuencia, fracasa en la prueba final y pierde el objeto mágico y valioso: «ALBERTO. (...) Se habrá puesto a fumar allí, y a dar a la gente...» Pero el fracaso de la prueba no entraña solamente la pérdida del objeto valioso, sino también la pena que el rigor de las leyes impone por la contravención de las mismas, para paliar lo cual, Chusa soborna a sus «cerberos», dándoles por mordaza y en pago adelantado a su silencio la mayor parte de su mercancía delictiva: «CHUSA. (...) Me pillaron con un montón, trescientos gramos por lo menos, pero la denuncia es por haberme encontrado media bola. Cincuenta gramos. Yo no iba a protestar, claro. Lo demás ha desaparecido por el camino.» Vemos una vez más cómo se interpenetran los papeles: delincuente y policía se confabulan en complicidad prevaricadora, de modo que cada cual asume en parte el papel del otro.

Volviendo al punto textual de los preparativos del viaje, nos encontramos con la dificultad manifestada a Chusa por Elena: es virgen, lo que no le permite pasar la mercancía en la vagina. Chusa se sobresalta ante tal confesión («No me estarás hablando en serio.» «Debes quedar tú sola, guapa.»); mas pronto da con la solución a tal problema: «Eso hay que arreglarlo enseguida. Se lo decimos esta noche a Alberto y ya está.» A continuación, sale a la luz algo más insólito: Elena es hija de madre virgen, quien («eso dice ella») fue fecundada en una piscina («Yo soy hija de mi madre y de un espermatozoide buceador»). Las dos muchachas, pues, no tienen padre, cosa que en cierto modo las hermana y da a Chusa motivo de consuelo a su propia circunstancia familiar: «Tampoco creas tú que mi padre era..., para ese padre casi mejor ser hija del Ayuntamiento como tú.»

Sin duda, esta secuencia surte un efecto cómico en el público, tal vez el principal propósito del autor, logrado con acierto. Pero cabe aplicar, de igual manera, una lectura mítico-simbólica, en cuyo registro nos ofrece el texto algunos rasgos significativos: la criatura nacida de madre virgen, concebida en las aguas (si no del mar, sí de una piscina, que, como aquél, tiene sus aguas remansadas), al modo de una Venus-Afrodita. De otra parte, tenemos el encuentro de una neófita con una iniciada en los preparativos de un ritual. Esta última lectura acerca el texto de Alonso de Santos a modelos o mitemas que funcionan desde la epopeya clásica, pasando por la narración caballeresca, hasta las más recientes creaciones. Se trata de un esquema antropológico cuyos trazos son incluso analizables con arreglo a un patrón psicoanalítico; se trataría, pues, de un arquetipo capaz de generar las más diversas manifestaciones en la realidad fenoménica.

En lo tocante al registro cómico, diremos que el autor recurre a la parodia (¿irreverente?). Lo que aquí se parodia es un modelo (nacimiento milagroso, sacrificio ritual...) cuyos actantes disuenan por entero —en cuanto a los personajes que los recubren— con respecto a sus homólogos de la obra que estudiamos. Cuando un modelo clásico de estirpe mítica (cuyos actantes están recubiertos por personajes hieráticos, solemnes, arquetípicos) es trasladado a un contexto profano y trivial, el efecto será tanto más cómico cuanto mayor disparidad exista entre los personajes homólogos del modelo originario y los de la versión paródica. Este procedimiento (tan en boga entre nosotros a finales del siglo pasado y comienzos del presente, con Valle-Inclán como maestro insuperable) es una muestra más de la técnica intertextual.

Si pasamos ahora a las relaciones de parentesco, observamos ciertas concomitancias y ciertas diferencias entre los personajes: ni Elena ni Chusa tienen padre (si esta última lo tiene, en todo caso reniega de él); por su parte, a Jaimito no le queda, salvo su prima Chusa, ningún lazo familiar; por el contrario, Alberto mantiene con su madre un fuerte vínculo, e incluso con su padre, personaje, aunque implícito, influyente en su ulterior conducta. En cuanto a la organización interna de los personajes entre sí, vemos cómo éstos forman, al comienzo, un grupo cohesivo que, alejado del modelo de familia que opera en la realidad del lector medio, se asemeja al de un clan (en el sentido antropológico). El espacio cerrado en que la acción se desenvuelve, fortalece esa red de relaciones entre los personajes.

La escena primera se remata con la preparación al sacrificio, mediante el cual la virginidad de Elena quedará inmolada en aras del beneficio de la comunidad y del suyo propio: «CHUSA. (...) Esta noche, Alberto te pasa al gremio de las normales, no te preocupes.» Ya en la escena segunda, vemos cómo Alberto rehúsa en un comienzo ejercer de oficiante en el ritual, ya que no se hace cargo, ni lo asume, del papel preponderante que le han confiado sus amigos. Elena, por su parte, acepta el sacrificio, ese rito de paso en virtud del cual habrá de integrarse en la comunidad del espacio cerrado. El papel de Chusa es el de sacerdotisa mediadora, y, en parte, el de víctima, ya que sus sentimientos personales quedarán asimismo inmolados. Por último, Alberto es el gran sacerdote que oficia el sacrificio y al cual se le brinda la ofrenda.

Hay que añadir que Jaimito representa aquí el papel de testigo y coro.

La primera tentativa de llevar a efecto el rito queda frustrada por la súbita aparición, en hora desusada, de la madre de Alberto (imagen de la madre castradora), quien, alarmada, trae la noticia de la excarcelación de su marido. Con la reinserción de su padre en el orden social, Alberto pasará, en lo sucesivo, a formar parte de los integrados, desertando definitivamente de la vida tribal de sus amigos, en cuyo seno rigen otros códigos. Valiéndose del cómico registro que en boca de Jaimito adquiere su discurso, ironiza el autor sobre la integración en el sistema y la capacidad absortiva de éste: «Y luego el jaleo ese de su padre. Le habían echado un montón de años, y de pronto a la calle. Ahora es muy difícil que te dejen estar en la cárcel. Hay que estar muy recomendado.» Claro está que en Jaimito obra el afán de hacerse el gracioso para así merecer los favores de Elena; y a partir de este punto, podemos observar cómo Alberto y Jaimito van trocando recíprocamente sus papeles: mientras éste, el antihéroe, llega a asumir el papel de héroe, propio de aquél en principio, Alberto procede en sentido inverso.

El esfuerzo infructuoso de Jaimito por granjearse la atención de Elena (escena tercera) se efectúa en el momento en que la chica está leyendo el libro de Umberto Eco *Apocalípticos e integrados ante la cultura de masas*. La inclusión de esta obra en tal contexto y en manos de un personaje tan poco apto para su lectura, connota una vez más la intencionalidad sarcástica y la presencia del Kitsch. Llegados a este punto de la obra, la iniciación de Elena en el «amor» ha dejado ya de revestir el carácter ritual de un comienzo para volverse una relación sexual vulgar y profana, un acto «desacralizado» que comporta un nudo conflictual entre los personajes (Chusa, aunque tarde, se arrepiente de su ofrecimiento al comprobar que Alberto va cobrando interés por Elena; Jaimito sufre la frustración de no poder ocupar en modo alguno el lugar de su amigo, mientras que Alberto y Elena, por su parte, parecen haber abandonado el ceremonial para establecer una relación profana).

Igual que en la primera noche, en la segunda se verá bruscamente importunado el encuentro íntimo entre Elena y Alberto, con la irrupción en la casa, esta vez, de un par de drogadictos que, a punta de navaja, exigen «mercancía». Aquí Alberto se mostrará impotente para atajar tan perentorio lance de una manera digna y eficaz, despojado, como está, de esos atributos policiales con los que tanto valimiento ostentaría en otras condiciones. (Como a un Sansón, cortada su melena, su cuasi desnudez le ha reducido a un pelele cobarde e indefenso, que en vano trata de contemporizar con los asaltantes.) Ahora será Jaimito quien se convierta en héroe: vistiendo el uniforme de su amigo y empuñando intrépido su arma, ahuyenta a los intrusos. Suplantado en su papel de héroe por un Jaimito tuerto y desvalido, Alberto se siente herido en su amor propio; así pues, no resiste sin desollar el rabo de la hazaña y corre a perseguir, pasado el susto, en paños menores al par de fugitivos. Tras su fallido alarde de heroísmo, recrimina a Jaimito por su temeridad; es Chusa, sin embargo, quien corea la hazaña de su primo: «Muy bien, pistonudo. ¿Has visto cómo corrían? Y la cara que han puesto cuando te han visto salir con la pinta esa y la pistola. Es que parecías del Oeste.» La presente secuencia desemboca en un nuevo nudo conflictual, cuando Alberto propina a Jaimito un tiro fortuito que le hiere en un brazo.

Una vez más, la escena se remata con la inopinada aparición de Doña Antonia, quien, por su sesgo cómico, resta a la situación su dramatismo, máxime cuando, al explicarle Chusa lo del tiro de su hijo, replica la señora (por Jaimito): «Algo habrá hecho.»

El cambio de papeles entre Alberto y Jaimito que se perfila al final del primer acto, desemboca en el conflicto personal que, en el acto segundo, dará lugar a una total ruptura. Ya en la escena primera de este acto, nos percatamos del hiato producido en el seno de la comunidad: Jaimito, en el hospital; Chusa, en el moro; entre tanto, Elena y Alberto han consumado sus relaciones íntimas —preludio del cercano matrimonio— al socaire de la ausencia de los otros. La ironía se adueña de la trama: el ritual sacrificio de un comienzo, al devenir una práctica profana, contraviene el código de la amistad, concitando la ruptura de los vínculos que los personajes mantenían entre sí. De este modo, Chusa pierde a Alberto y a su amiga; Jaimito, a su amigo de hace tanto tiempo, junto con la esperanza de compartir con éste algún que otro favor de Elena. Aquel espacio, pues, al abrigo del tráfago de fuera, receptáculo de laxo bienestar, de caos relajante, se halla ahora usurpado por quienes, si un tiempo entre dos aguas, se han pasado de modo irrevocable al bando de los «buenos» y adaptados.

La grieta producida (en forma implícita) entre uno y otro acto, condiciona el proceso del segundo, en el transcurso del cual se manifiesta la renuncia a la aventura de los unos y el triste desengaño de los otros. Si en el acto primero la aventura de bajarse al moro revestía el carácter de un viaje iniciático, ahora todo discurre dentro de lo profano. Y aunque en el texto no se nos indique por qué Elena ha desistido de la empresa, es fácil colegir que lo haya hecho a cambio de prestar dinero a Chusa, moneda desleal con que, a la postre, se habrá alzado con el santo y la limosna al quitarle a su amiga el cariño de Alberto.

El marco espacial mantiene su unidad respecto al primer acto, «aunque las cosas están ordenadas de forma distinta —más convencionalmente—». La «habitación destartalada» de días pasados ha cobrado trazas de hogar convencional. Doña Antonia, planchando y trasegando copa tras copa de ginebra, alecciona a una Elena que le escucha embobada mientras cose, asumiendo el papel de madre política que sin duda lo será dentro de poco. Reconocidas, pues, abiertamente las relaciones de Elena con Alberto, Doña Antonia trata sin empacho a su futura nuera, a pesar de sus escrúpulos morales, ya que la unión de Elena con su hijo resulta ventajosa a todas luces. La comicidad de su discurso se debe en gran medida al contraste entre la seriedad con que habla la madre de Alberto y la intencionalidad ironizante del autor; es significativo a este respecto aquello que refiere la señora sobre la redención de su marido («Es que ha salido de la cárcel hecho otra persona: serio, honrado, trabajador...»), con todo el mar de fondo político-social que se trasluce. A partir de ahora, el padre de Alberto —aunque no esté presente en escena— ejercerá un papel importante cara a la integración de su hijo en el orden social («él, encantado de que Alberto trabajara en algo tan decente (...), le ha dicho al chico que si sigue por el buen camino, que le paga los estudios para que haga el ingreso y oposiciones al Cuerpo Superior de Policía, pero que si se queda con esa gentuza, que allá se las entienda y que se vaya de casa»). El ladrón e inadaptado de otro tiempo se ha vuelto apóstol del vivir decente. Puesto bajo la férula de un banquero estafador —compañero de prisión y, como él, excarcelado—, disfruta ahora de una ventajosa posición; y es que la nueva situación socio-política —en un sistema cada vez más lato y más elástico— posee una enorme capacidad reinsertiva para quienes se acojan y se amolden a sus reglas de juego, cuyos códigos han cambiado de forma notable en los últimos tiempos («como cambia el país»). Mas lo que no ha cambiado —según queda dicho ya más arriba— es la estrechez moral de Doña Antonia, lo que no es obstáculo para que la señora acepte de buen grado la nueva situación por las ventajas que a ella le reporta.

Sin llegar a una verdadera crítica social Alonso de Santos conjuga el lenguaje festivo de sus personajes (creando situaciones cómicas) con sus guiños irónicos, manteniendo su intencionalidad paródica ¿Y qué es lo que parodia? La propia sociedad en su estructura, con su aparente igualdad y con su mezcolanza de elementos. El ladrón indultado se halla en la misma línea que el héroe medroso, que el anti-héroe al que asiste un momento de valor, que la traficante de hachís, sentimental y buena chica, o que la cándida escapada de su casa, vuelta novia formal en cuanto la ocasión se lo depara.

Los personajes que el autor ha concebido están codificados en la trama (nivel sintáctico) por la interrelación de sus características; el cambio que, a lo largo de la obra, se va operando en ellos, responde a la esencia, a los rasgos intrínsecos, de cada uno de los mismos (de igual modo que dos o más estructuras sintácticas superficiales pueden transformarse recíprocamente en virtud del valor semasiológico de sus componentes). Vemos a los distintos personajes pasar de lo sagrado a lo profano, y a la inversa, porque en su esencia personal no hay nada que les marque de una vez por todas; sus rasgos son ambivalentes, potenciales, de modo que será la propia trama (estructura superficial) la que condicione cómo han de manifestarse dichos rasgos. (¿No es eso exactamente lo que ocurre en la tramoya político-social con cada uno de sus personajes?) Por otra parte, es la economía de la obra, su propio dinamismo, lo que pide esa transformación de funciones en los distintos personajes, forjándose de este modo su teatralidad; lo literario, por su parte, viene de la mano de toda esa amalgama de intertextos, clave de la parodia.

Volviendo al plano textual, la conversación entre Elena y Doña Antonia introduce a dos nuevos personajes —el padre de Alberto y la madre de Elena—, ambos bien anclados, aunque por derroteros diferentes, en el mundo del consumo. El primero aconseja a su hijo que abandone la amistad improductiva («Además, ya se lo ha dicho mi marido: "Esa chica te interesa [por Elena]. Los otros, fuera"»), o que amañe las cosas conforme a su provecho («Él fue el que aconsejó a mi hijo para que dieran el parte de que el tiro se lo había dado Jaimito mismamente»). La madre de Elena, por su parte, se aviene de buen grado a la nueva situación: «A tu madre, Alberto le cayó de maravilla. Tenías que haberlos visto hablando como si fueran suegra y yerno.» Así, pues, la situación acomodada de la madre de Elena («la tienda esa de electrodomésticos (...) que está en plena Glorieta de Quevedo» y las enormes ventajas que reporta la vida regular («Así que tú hazme caso, por el buen camino. Ya verás luego la alegría que dan los niños, sí, mujer, y el hacerlos, que hablando claro se entiende una mejor, y hay cosas que están muy bien en la vida si se hacen decentemente y como Dios manda»), impulsarán a la joven pareja a abandonar definitivamente el espacio de la marginalidad.

Toda esa verborrea admonitoria que Doña Antonia asperja sobre Elena, se verá interrumpida de repente con la aparición de Jaimito, acompañado de Alberto. El primero, que acaba de salir del hospital, se siente extraño en su propio espacio, debido a los cambios operados. En aquella atmósfera enrarecida, se hace incómodo el diálogo; de pronto, el hielo se rompe cuando Alberto vuelve enfurecido del teléfono del cura (otro nuevo integrado): «Han cogido a Chusa. En el tren. Le han pillado con todo. La tienen en el cuartelillo de la estación. ¡Qué follón, Dios!» La detención de Chusa genera un nuevo conflicto: Alberto, temeroso, lamenta lo ocurrido pero sin atreverse a dar la cara y ayudar a resolver la situación, mientras que Jaimito, erigiéndose en héroe responsable, irá a ver a su prima y buscará la manera de liberarla. Alberto y Elena aceleran su abandono de la casa recogiendo a toda prisa sus cosas; de este modo, el espacio cerrado se vacía de tiempo, de ese tiempo que le daban los objetos.

La escena segunda condensa el dramatismo al poner frente a frente a los dos chicos. Jaimito, que llega desolado por no haber podido ver a Chusa, se encuentra mano a mano con Alberto, ya próximo a partir (Elena ya lo ha hecho). Se origina una fuerte discusión: Jaimito acusa al otro de egoísta al inhibirse en lo de Chusa. La esquiva actitud de Alberto traspone el código de la amistad, por lo que ésta quedará rota entre ambos a partir de ahora. Alberto, por lo tanto, se vuelve un individuo de la calle, integrado en la masa, al quedar segregado de su grupo, del cual ha renegado: «Conmigo ya no contéis más. Se acabó. Ya está bien. Ella sabía que si iba a por hachís la podían coger, ¿o no? Pues la han cogido. Hay que atenerse a las consecuencias de lo que se hace en la vida, coño, y no andar liando siempre a los demás para que le saquen a uno de los jaleos.» Jaimito fracasa asimismo en el último intento de ablandar a Alberto pulsando su fibra sensible, pues éste se rige únicamente por los resortes del egoísmo y el miedo; la disputa desemboca en pelea. Como de costumbre, la nueva aparición de Doña Antonia, acompañada de Elena, desactiva de súbito el clímax violento de la escena. Alberto, aliviado del lance engorroso, se va con las mujeres cargando con sus cosas.

Con la puerta abierta al espacio del «afuera», queda solo Jaimito en escena, en un espacio ahora desprovisto de acogedor desorden, abierto a la soledad. Su primer movimiento es cerrar la puerta; acto seguido, da de comer al hámster, al paso que le cuenta sus cuitas en un monodiálogo en que el pequeño roedor hace el papel de testigo-confidente [8]. Es el momento lírico del drama, en cuya confesión se deja traslucir el amor de Jaimito por Elena, un amor vuelto ahora desamor al no ser correspondido por ella: «Lo que duele es lo otro. ¿Qué le habré visto yo a esa gilipollas? ¿Pero tú te has fijado? Si está en los huesos, ni tetas ni nada, y una cara de tonta que no se lame. Cada vez que iba a verme al hospital me sentaba peor que la penicilina.» También lamenta aquí la deslealtad de su amigo: «¡Qué cabrón el Alberto, madero, que es un madero!» Como en un psicodrama, acomoda las cosas a su gusto, con el prurito de hallar una versión consoladora de los hechos: «Ahora que porque estaba yo en el hospital, si no, de qué. Ese siempre hace lo mismo. Como sabía que si me quedaba aquí ella se iba conmigo, me da un tiro, y al hospital. Y claro, como estaba

---

8 Un fenómeno semejante, entre otros, lo hallaremos en el caso del perro Orfeo y Augusto Pérez, en *Niebla,* de Unamuno.

triste, y sola... Además, le ha ayudado la madre, la lagarta gorda esa que dice siempre que tú eres una rata.» La vida de hospital, por otra parte, en lugar de acercarle al mundo cotidiano, a la gente, parece haberle sumido más aún en su aislamiento; porque para él ese hospital representa la antesala de la muerte («Mi ventana daba justo enfrente del depósito de cadáveres. Un palo, tío. Cada vez que me asomaba me daba un bajón.»), un espacio vacío en el cual ha perdido a la persona amada y al amigo. Sin embargo, ese mismo hospital suscita asimismo en el muchacho recuerdos agradables. En definitiva, y al igual que sucede en ciertos cuentos, Jaimito ha permanecido en un lugar (¿paraíso?) fuera del tiempo; mas al regresar al mundo de los suyos, lo ha encontrado todo transformado, pues el tiempo aquí ha transcurrido de forma ordinaria. La ironía del lenguaje de Jaimito se superpone a la amargura que rezuman sus palabras, sin que por ello ésta quede eclipsada en modo alguno, esa amargura que, en lo físico, casa bien con la falta de aire: «No puedo respirar. ¿Has estado enamorado alguna vez, Humphrey?»

En el plano simbólico, Jaimito se halla al borde de la pérdida de sus más acendrados valores, al borde de la muerte espiritual; así las cosas, parece ser su tabla salvadora el recuerdo evocativo de su héroe (el héroe fílmico de toda una generación): el Rick de *Casablanca,* encarnado por el gran cineasta Humphrey Bogart *(vid.* notas 7 y 8 al texto de la presente escena). Recurre aquí Jaimito a un texto fílmico cargado de connotaciones socio-culturales, como asidero al borde del vacío (recuérdese que Rick configura el dechado del gran perdedor), con lo cual se hace presente, una vez más, la técnica intertextual. Al comienzo del monólogo, se hace notar la analogía hámster-Humphrey, junto con la imagen del enjaulado contento en su limbo («Te lo tienes montado a lo Onassis. Como un faraón ahí, pasando de todo. Sólo te faltan las pirámides.»), analogía que, por vía metonímica, lleva a la asociación con el personaje mencionado (Rick), a través del nombre del actor que le dio vida (Humphrey). Al final del monólogo, Jaimito se habrá mimetizado con el hámster, tal vez buscando un lenitivo a su dolor y hastío: «Se aleja de la jaula y hace movimientos por la habitación que recuerdan a los del hámster. Incluso da vueltas a una rueda parecida que hay sobre la mesa, e, inconscientemente, se acaba de comer la lechuga que le queda en la mano.» El lenguaje gestual y la música, que enriquecen la expresión dramática en una pregnancia semiótica, convierten la soledad trivial de un joven de nuestros días en la soledad existencial del inadaptado.

La escena tercera y última se abre, como las precedentes, con una acotación en que se nos indican datos temporales: el tiempo transcurrido desde el final de la escena anterior («Han pasado dos días») y el momento del día («Es media tarde»). Una vez más, podemos observar la interacción espacio-temporal. La obra parte de un espacio cerrado, poblado de objetos con una fuerte carga temporal: los «cachivaches» que, en aparente desorden, llenan este espacio representan, cada uno por su parte, retazos de tiempo vital de los personajes, pues son recordatorios de experiencias, vivencias y emociones personales. Forma el conjunto un espacio armónico en que los diferentes tiempos se conjugan, porque quienes lo habitan, obedecen a un código atemporal, el de la amistad; la ruptura, por tanto, de este código agrietará ese espacio hasta llenarlo de vacío, lo «desacralizará», de forma que el tiempo cronológico, histórico, penetre en él, encaminando a quienes lo habiten, a la soledad o a la muerte. De un espacio sagrado, donde el tiempo anterior a su penetración se espacializa en objetos cargados de significación, se pasa (cuando los «integrados» arramblan con sus cosas) a un espacio profano, no vital («La escena, vacía. El hámster en su jaula sigue dándole vueltas a la rueda»).

Al comienzo, pues, de la presente escena, nos hallamos ante ese espacio ya desvitalizado, cuyo único ser viviente es el animalito de la jaula, el cual, por su hábito de jugar con la rueda, cobra asimismo una significación espacio-temporal: el movimiento circular representa el tiempo espacializado, sin historia, el tiempo de la muerte, ya que ni tan siquiera está marcado por hitos primordiales [9]. El reencuentro de Jaimito y Chusa (a ésta acaban de dejarla en libertad) hilvana el desencanto que tiñe la presente escena. Con la vuelta a casa de la chica, acusa él lo inútil de su esfuerzo de buscar un abogado que intercediera por ella: «Después del lío que he armado para que un abogado fuera a verte esta tarde... (...) No sé qué le voy a decir, después del rollo que le he tenido que meter». A su vez, Chusa ve mal regalada su nueva libertad ante las desagradables novedades que Jaimito le cuenta, eludiendo, a modo de tabú, los nombres de los implicados: «Se han largado del todo; se han abierto, tía. Se han llevado sus cosas...» Ella, incrédula al comienzo, toma por fin conciencia de la situación. Las palabras de Jaimito sitúan a Alberto y Elena fuera del espacio de la casa: «Se van a casar. Han cogido un piso en Móstoles», proyectándoles a otro diferente, profano (Móstoles), que les asimila al

<hr>

[9] Véase Mircea Eliade, *Le mythe de l'éternel retour. Arquétypes et réppttitions,* París, Gallimard, 1951 (trad. cast. de Ricardo Anaya, Madrid, Alianza/Emecé, 1972).

resto del mundo. Como quien no acaba de encajar la verdad de los hechos o bien trata de soslayarlos, Chusa pregunta a Jaimito por su estado y, a su vez, le cuenta sus peripecias con la droga. Mas la cruda verdad descorrerá su venda con la vuelta de Elena. La conversación entre las jóvenes se desenvuelve en un clima tenso, cargado de reticencias; al final de la misma, Chusa remeda burlona las palabras de Elena de un comienzo, en un *da capo* que asimismo se refuerza con la repetición de la escena del té.

La ruptura final entre las dos muchachas vendrá con el asunto monetario: Elena, aunque en forma velada, reclama a Chusa el dinero prestado para bajarse al moro, a lo que ésta replica que no se trataba de un préstamo sino de una inversión con todos sus riesgos, ironizando la falacia de su ex amiga: «Si todo iba bien, y lo vendíamos y ganábamos pelas, para las dos. Y si me lo quitaban, me lo has dejado, ¿verdad? Qué lista eres tú también.» Pese a su simpleza de espíritu y atolondrada ingenuidad, Elena demuestra tener claro el código transaccional: «Una cosa es ser amigos, pero el dinero es el dinero.» Así, la lesión de los intereses tanto amorosos como crematísticos rompe definitivamente los lazos de amistad entre ambas jóvenes.

El regreso de Alberto, que «viene de paisano» (con su madre) a llevarse sus cosas, da lugar a la triste despedida para Chusa, quien le pide la llave en un intento de cortar cualquier vínculo que aquel intruso pudiera mantener con el espacio que abandona, pues tanto ella como Jaimito necesitan preservar aquel lugar de la profanación de un «integrado», que tiene padre y madre, un puesto de trabajo, una novia formal y un piso en Móstoles. A pesar del despecho y la tristeza, crepitan en las palabras de Chusa rescoldos de ternura, que no ablandarán, sin embargo, el corazón de Alberto, ansioso únicamente de integrarse a una nueva vida lo antes posible. Las últimas palabras de la chica parecen ser el síntoma de un deseo inhibido: participar a Alberto su sospecha de que está embarazada (cfr. la secuencia subsiguiente); si en el último momento se retrae, tal vez sea por evitarse un nuevo dolor ante la probable indiferencia del otro.

A partir de este punto y hasta el final, ocupan la escena Chusa y Jaimito (sin olvidar el hámster), mano a mano con su soledad compartida, como los habitantes «aborígenes» de un espacio que han reconquistado. La detención de aquélla y la estancia en el hospital de éste han significado una misma cosa: una privación de libertad, compartida con quienes consideran normal la falta de libertad. Para uno y otro, la vuelta a casa representa la recuperación de su identidad, un volver a ser ellos mismos, si bien con la experiencia dolorosa de que aquello que poseían (un espacio sin tiempo, sacralizado por unos vínculos rituales) había sido profanado. Uno y otro han sufrido un desengaño amoroso; pero más aún que eso, acusan la profanación de su espacio.

Como en un esfuerzo por mofarse del aciago destino, Jaimito intenta en balde concitar la risa de su prima contándole el chusco sucedido a Doña Antonia («¡Se ha caído la gorda! ¡De culo, en un charco! ¡Te meas si la ves!»). Al fin, la soledad les muestra cara a cara su destino. En adelante, no volverán a sentir apacible el espacio que habitan: «JAIMITO. (...) Bueno, pues se han ido. CHUSA. Sí. JAIMITO. ¿Y nosotros qué pintamos aquí? CHUSA. ¿Nosotros? Nada.»

Y es que ellos también, por un momento, han pretendido pasarse al mundo de «los otros», pero han fracasado; es, pues, ese fracaso lo que les hace sentirse extraños en su propio medio. Si, en un comienzo, los objeto traídos de «fuera» habían cargado de «sacralidad» el espacio de «dentro», éste, una vez revertidos al «afuera» esos objetos en su mayor parte, han perdido su cualidad de «sagrados». Los objetos que quedan en la casa no son sino jirones de un decorado ya desvencijado. Como para sellar la contaminación del «adentro» con el «afuera», Jaimito, apercibido de la tristeza de Chusa, «se acerca a la cabeza del esclavo egipcio y le pone la corbata» que acaba de regalarle Doña Antonia. La ufana evocación de su proeza ocasional («Ya sabes cómo las gasto yo. Acuérdate el día de la pistola la que armé. Corriendo con el culo colgando que iban esos dos chulos de mierda») delata una nostalgia de integrado fallido. Para mayor ironía del destino, Chusa descubre en el armario el álbum de recortes de periódico que Elena se ha dejado, un objeto del «afuera» que dibuja una mueca burlona y suscita en Jaimito el sentimiento de no haber podido llegar donde los otros: «Esos ya están en el bote. Su pisito, el sueldo al mes, la tele, los niños... Bueno, como todo el mundo; menos tú y yo, y cuatro pirados más de la vida que hay por ahí. Si hacen bien, ¿no?» Incluso en su explosión verbal de rebeldía se vislumbra su despecho por no llegar a ser como los otros: «Parecería el terror de los mares, cañonazo va, cañonazo viene, a todos los cabrones con dos ojos, dos piernas y porvenir, que se me pusieran por delante. A esos dos los primeros, y a la madre, y al padre... ¡A todos!» Cuando los objetos del «afuera» convivían en un reparador desorden, era porque el espacio del «adentro» ejercía una tensión osmótica; ahora que dicho espacio se ha desacralizado por completo, es el «afuera» el que ejerce sobre él dicha tensión. Así, Jaimito, acusando la falta del cassette que Alberto se ha llevado con sus cosas, lo sustituye entonando una canción de Joaquín Sabina, cantautor de moda (otro producto de consumo).

En toda esta secuencia, está presente la intertextualidad. Jaimito, en su baladronada imaginaria de convertirse en «el terror de los mares», sigue el cliché impuesto por ese tipo de piratas que pululan por ciertas películas y obras consideradas «paraliterarias». Otro tanto cabe decir de la canción arriba mencionada. Mediante la lectura intertextual, el lector se ejercita en captar los textos subyacentes al texto objeto, textos pertenecientes a una «enciclopedia» propia del consumista medio de la época en edad juvenil. La intertextualidad no opera, sin embargo, solamente en la dimensión anagógica (sobre textos extraños a la obra), sino también en la anafórica (intertextualidad tautológica). Es, por ejemplo, el caso de la escena del té, en que se parodia la escena inicial de la obra, parafraseando incluso las palabras de Elena («¿Con dos terrones?»). Como veremos en su lugar correspondiente, el propio final de la obra no es otra cosa que un claro ejemplo más de intertextualidad anafórica, de autoparodia.

Ese espacio en el cual sus ocupantes se han quedado «un poco solos», está vulnerado por la hipertensión osmótica que ejerce el «afuera» sobre él; así, Chusa y Jaimito piensan ahora en el juicio que a cada cual le aguarda, víctimas uno y otro del engaño o de la falsa amistad: Chusa, por fiarse de quien no debía («Tenía una cara de bueno que se la pisaba, y luego era policía»); Jaimito, por cubrir a Alberto y evitarle molestas responsabilidades («Tuve que firmar que me lo había dado yo; y está muy castigado andar por ahí pegándose unos tiros a lo tonto»).

El motivo final tiene por nudo el momento en que Chusa participa su probable embarazo (recuérdese lo dicho más arriba sobre el punto en que ésta y Alberto se despiden). La pronta reacción de Jaimito le impulsa a buscar a su ex amigo y plantárselo «en su cara para que se les joda la boda y se les amargue la luna de miel»; mas Chusa le disuade de la idea: ¿de qué sirve que el otro lo sepa si «ya no está aquí»? Esto es: Alberto ha desertado del clan, ha abandonado aquel espacio; luego (de igual modo que en ciertas sociedades tribales) el hijo pertenece a la madre únicamente, o, en todo caso, también al hermano de ésta [10], que lo es funcionalmente su primo, quien aduce: «Y mío también, ¿no? Así que estamos embarazados», y quien, por otra parte, se siente tío de la criatura.

El mito de la edad paradisiaca, hecho realidad en el país de «jauja», aflora a la mente del muchacho en cascada exultante y optimista. Lo que ahora está vedado a los vencidos estará en un futuro al alcance de cualquiera; Jaimito se proyecta en ese ser que nacerá de Chusa para sentirse testigo anticipado de ese «mundo feliz» huxleyano: «Y nada más nacer, zas, una renta vitalicia, un dinero bien, como les pasa ahora a los ricos, pues a todos. De entrada naces, y un dinero para que estudies, o viajes, o vivas como quieras, sin tener que estar ahí como un pringao toda la vida; porque todo estará organizado justamente al revés de como está ahora, y la gente podrá estar feliz, y bien.» Henos aquí, pues, ante uno de los mitos más recursivos a lo largo de la historia de nuestra cultura: el de la *edad dorada,* que Ovidio [11], entre otros, nos describe. Es el

---

[10] Véase A. R. Radcliffe-Brown, «El hermano de la madre en África del Sur» (1924), en *Estructura y función en la sociedad primitiva,* Barcelona, Planeta-De Agostini, 1986, págs. 25-41.

[11] «Aurea prima sata est aetas, quae vindice nullo / sponte sua, sine lege fidem rectumque colebat. / Poena metusque aberant nec varba minantia fixo / aere ligabantur nec supplex turba timebat / iudicis ora sui, sed erant sine vindice tuti.» *(Metamorfosis,* libro I, vv. 89-93.)

mito del espacio sin tiempo, anterior al «pecado» de la historia, edén de la inocencia que el *Génesis* nos pinta, de árboles frutales bien surtido y surcado por cuatro fertilizantes ríos. Es el mito que alumbra la esperanza de una Jerusalén celeste, hecha realidad de tejas abajo, en el milenarismo del Medievo; el mito al que da forma Don Quijote en su célebre discurso a los cabreros [12]. Pero ya en nuestra época (y antes, tal vez, con el futuro mundo promisorio de los socialistas utópicos), la nostalgia del lugar paradisiaco deja de situarse en un pasado ucrónico para hacerse promesa de un cercano futuro al que habrán de llegar, a buen seguro, quienes en el presente sufren y padecen. Mas ese paraíso igualitario no será de bellotas u otros frutos de lo que a sus moradores abastezca, sino de todo aquello que, hasta entonces, la civilización y el progreso hayan producido.

Como en una pirueta retroflexa, se repliega la escena sobre su comienzo: Jaimito se apercibe nuevamente de estar «sin papelillo»; mas Chusa irá «a buscarlo a la calle», y, pese a los deseos precautorios que su primo la expresa, piensa traerse «a todo el que encuentre y no tenga adonde ir». Ya ella fuera de casa, Jaimito se percata de que se le «llevó otra vez las llaves». Por si esto no bastara, «da un golpecito cariñoso en la jaula del hámster, saca su material de trabajo, se sienta en el colchón, y se pone de nuevo a hacer sandalias»... Así las cosas, es como si el autor o demiurgo hubiera dispuesto (cual Hades implacable) que sus personajes volviesen a vivir su propia historia y en su espacio cerrado, *sísifos* sin salida hacia un futuro. Desde un punto de vista puramente semiótico,

---

[12] «Dichosa edad y siglos dichosos aquellos a quien los antiguos pusieron nombre de dorados...» *(Quijote,* I, cap. 11.)

este proceso circular (imagen del *ouroboros*) engrana en buena lógica con el proceso de la representación: la acción representada finaliza en el punto en que ha de comenzar la nueva representación, de tal modo que ésta podría iterarse sin solución de continuidad (como esos carruseles infantiles, que dan vueltas y vueltas y, por último, se planta cada cual en el lugar de donde comenzó su movimiento). Un final parecido en cierto modo tenemos en el caso de *El combate...* (cfr. el capítulo biobibliográfico, epígrafe correspondiente a 1980). Desde el punto de vista simbólico, el motivo del *ouroboros* representa al hombre degradado en su proceso de autodestrucción. No se trata aquí, pues, del eterno retorno, ya que falta el acontecimiento primordial al cual se vuelve de forma iterativa y regular para revivificarse en una vida nueva y superior (véase M. Eliade, *op. cit.*), sino de un «repetirse» cotidiano en que cada «momento» es firme calco de los precedentes, remedo de sí mismo, lejos de una espiral edificante.

A la vista del examen practicado, podemos comprobar que nos hallamos ante un drama en que conviven lo trágico y lo cómico (como en la vida misma), y en que se hacen presentes elementos familiares al lector. El texto se hace cómodo a una lectura lineal, ya que los personajes se comportan de forma natural y poco sorpresiva una vez delineado su perfil; por otra parte, tanto en su trama como en la red de significación intertextual, la obra resulta diáfana en su decodificación, pues en ella confluyen las enciclopedias más comunes al lector medio de nuestra época. Aun así hemos tratado, sin embargo, de llamar la atención sobre otros elementos cuya decodificación resulta más difícil en una primera lectura, como son, por ejemplo, las resonancias intertextuales en otras obras del autor, así como en obras de otros autores contemporáneos (como Fermín Cabal) o incluso en textos de diversa índole (no necesariamente literario-teatrales): comics, canciones, películas, etc.

La lectura en vertical, por otra parte, ha puesto de relieve el contenido simbólico que encierra la obra, así como también la hechura mítica de algunos personajes, aunque tenga ésta en ocasiones un valor puramente paródico: Elena y su nacimiento maravilloso; Alberto, héroe mítico en el espacio sacralizado por la memoria de los suyos, héroe degradado en un espacio y un tiempo profanos. También hemos visto cómo la obra procede en movimiento retrógrado respecto de sus personajes tomados dos a dos: en tanto que Alberto y Elena se degradan en la medida en que se apartan del espacio sagrado para integrarse en el profano, Jaimito y Chusa proceden en sentido inverso, si bien al final ellos quedarán también reducidos al barro cotidiano. A medida que transcurre la obra, el espacio sagrado de un comienzo se vacía de contenido simbólico cargándose de temporalidad, lo que obliga, al final, a Jaimito a proyectar su ideal de felicidad fuera de este mundo, en un espacio mítico, exento de temporalidad.

Bien es verdad que el registro coloquial del lenguaje, que de comienzo a fin moldea el texto objeto de la obra, «distrae» en cierto modo la lectura en vertical con su trasfondo mítico-simbólico; pero una vez detectado éste, el texto nos refrenda su entidad, junto con la intencionalidad paródica, cuando no irreverente, del autor. Si éste ha sido consciente del alcance crítico que encierra esta obra, y a pesar de su lenguaje coloquial plagado de clichés, ello implica su fuerte voluntad por parodiar tanto lo profano como lo sagrado con vocación de intertextualidad globalizante, lo que acredita la máxima modernidad para su obra.

¿Cuál es el rasgo que en *Bajarse al moro* amalgama los múltiples marchamos con que la obra ha sido etiquetada por los distintos críticos? Sin duda, el de sainete. Ahora bien, si tenemos en cuenta la *fabula*[13], mejor que de un sainete, se trataría aquí de una tragedia grotesca (Arniches[14]) o, mejor aún, de una tragicomedia grotesca (J. Monleón[15]). Pero lo que sí tiene de sainete propiamente dicho la obra en cuestión, es el lenguaje.

Es el vivo lenguaje de la calle el que articula el verbo dramático recorriendo la obra de comienzo a final; es el lenguaje cuyas unidades no están aún sancionadas por códigos del uso consagrado; es el lenguaje, en fin, que contribuye a «enriquecer la lengua, sobre quien tiene poder el vulgo y el uso»[16].

Todos los personajes vierten su palabra por el registro coloquial, salvo en los casos (infrecuentes) de intertextualidad discursiva en que se profieren *slogans* o *clichés* de moda (préstamo de otros dominios discursivos). Desde un punto de vista sociolingüístico, salta a la vista que el registro de lenguaje de la obra es el propio de grupos marginales; mas tal percepción se da, sobre todo, si nos dejamos llevar por las características de los dos personajes principales, incurriendo así

---

[13] Para la recta acepción (aquí) de este término, cfr. Umberto Eco, *Lector in fabula,* cit. Además, C. Segre, *Las estructuras y el tiempo,* Barcelona, Planeta, 1976, cap. 1. B. Tomachevski, «Temática», en Tz. Todorov (sel.), *Teoría de la literatura en los formalistas rusos,* Buenos Aires, Eds. Signos, 1970, págs 199-232.

[14] Véase el estudio de R. Pérez de Ayala, *Las máscaras,* Madrid, Calleja, 1919, v. II, págs 233-252, y el de P. Salinas, incluido en *Literatura Española Siglo XX,* Madrid, Alianza, 1970, págs 126-131.

[15] Cit. por F. Ruiz Ramón, *Historia del teatro español, 2. Siglo XX,* Madrid, Alianza, 1971, pág. 45.

[16] *Quijote,* II, cap. 43.

en la licencia lógica del *quid pro quo*. Porque es cierto que el empleo de este tipo de lenguaje se extiende, con mucho, más allá de un sector restringido del mundo social, llegando a cobrar un alcance generacional. Todo el argot que aquí se desgrana podía haberse puesto en boca de cualesquiera otros personajes cuyos prototipos procediesen de las más heterogéneas capas sociales, sin que por ello motejásemos la obra de hibridación estilística.

Si en un corte sincrónico el uso de este tipo de lenguaje se ha generalizado en un sector importante de la población juvenil (sin distinción de clases ni de ambientes sociales), es fácil, sin embargo, predecir que, en el plano diacrónico, sea efímero el vigor de tal lenguaje, y, particularmente, en lo que atañe al nivel lexemático y, más aún, al semántico. De ahí la necesidad de «apuntalar» la competencia enciclopédica en futuros lectores de este tipo de obras[17].

1. *Aspectos fonéticos.*— Poco hay que destacar en este nivel, ya que la expresión conserva, en general, su forma prístina (o «correcta»). Apenas se registran los tan traídos y llevados vulgarismos propios de los sainetes, como sería el caso, entre otros, de la pérdida de /d/ intervocálica en desinencias participiales o adjetivales (salvo alguna excepción: «DOÑA ANTONIA. ¿Y por qué no abríais, eh, degeneraos?»). Tampoco son de destacar casos de metátesis, de adición consonántica o vocálica (prótesis, epéntesis o paragoge), ni de otras deformaciones expresivas.

---

[17] «Un rasgo muy característico del lenguaje argótico es la rapidez con que las expresiones envejecen y se abandonan por otras nuevas. (...) Esta enorme vitalidad del argot ofrece un inestimable interés, dado que permite analizar la evolución de los procesos creativos de la lengua en el mismo momento en que tienen lugar, lo cual arroja nueva luz sobre el desarrollo del idioma en general y facilita su estudio.» (V. León, ob. cit. en nota 6, pág. 18.)

2. *Aspectos morfológicos.*— Tampoco en este plano se observan grandes concomitancias entre el lenguaje de *Bajarse al moro* y el del subgénero sainetístico, como sería el caso del laísmo, rasgo tan característico de este último.

2.1. *Apócope.*— Es este metaplasmo un ingrediente de los que mayor dejo popular ponen en el sabor del uso hablado. Coplas tonadilleras, piezas del género chico, sainetes... —sin olvidar el habla cotidiana— son pródigos en formas de este tipo, con lo que se ha llegado, en ocasiones, a consagrar la expresión apocopada en detrimento de la primitiva: «la mili», «el cole», «la poli», «el profe», «la tele», «el boli», entre otras muchas. No podían faltar en esta obra ejemplos al respecto: «el chumi» (véase nota 42 al texto del acto I, escena 1.ª), «está chachi» (nota 18 a *íd.*), «en plan tranqui», «nos pintamos bien, tranquis, sonrientes» (nota 37 a *íd.*), «nos sentamos y hablamos tranquis» (acto I, escena 4.ª), «es un curre» (acto I, escena 1.ª).

2.2 *Sufijación.*— Aparte de los ya tradicionales, cunden en nuestra época ciertos sufijos de matiz festivo, tales como (-amen) («muslamen», «nalgamen», «tetamen»...) y (-ata) (véase acto I, escena 1.ª, nota 10).

3. *Aspectos léxicos.*— Las jergas tanto profesionales como de grupos marginales cobran su idiosincrasia especialmente en el plano expresivo de sus voces. De ahí que, a lo largo del tiempo, hayan aparecido pequeños o grandes diccionarios al respecto, desde el *Vocabulario de germanía* en 1609 (cfr. nota 7 a la escena 1.ª del acto II) hasta los más recientes [18].

---

[18] Los dos más importantes y accesibles son, a nuestro juicio: Víctor León, *Diccionario de argot español,* Madrid, Alianza, 1980, y Juan Manuel Oliver, *Diccionario de Argot,* Madrid, SENAE, 2.ª edición, aumentada, 1987.

De todos es sabido que el caló es una de las fuentes principales de nuestro acervo argótico [19]: «Una cuestión importante en la consideración de la germanía es la de su contaminación con la lengua de los gitanos. Ya señalamos la confusión que se ha producido, desde antiguo, en otros países, y también en España, entre la lengua de los gitanos y la de los maleantes, y la consecuencia que esto tuvo en la imprecisión de la terminología lingüística para designar las distintas manifestaciones del *argot*» [20].

Muestras de tal origen en la obra serían, por ejemplo: «chachi(pén)», «chumi(no)», «curre(le, lo)», «fetén», «chingar», «mangui», «chungo», «chorvo».

Hay palabras que han derivado en formas homomórficas respecto a otros vocablos, estableciéndose de este modo una relación homonímica. Se trata de otro juego muy usado en la práctica del habla popular. (Es el caso, por ejemplo, de «escalextric» por «escalope», «trineo» por «trienio», o «adúltero» por «adulto», fenómeno muy próximo a la etimología popular.) Dentro de nuestra obra, es lo que ocurre con «maría» por «marihuana», o «facha» por «fascista» (forma esta última que ha sido desbancada totalmente por la derivada, que ha llegado a cobrar nuevos matices).

El mundo de la droga ha aportado nuevas voces a nuestro caudal léxico. Ejemplos en la obra: «costo» (cfr. nota 43 del acto I, escena 1.ª), «doble cero» (nota 44 de *íd.*), «china» (nota 22 de *íd.*), «harina» (nota 5 del acto I, escena 4.ª), «caballo» (nota 4 de *íd.*), «pico» (inyección de heroína u otra droga en la vena), «choco-

---

[19] Véase, por ejemplo, Luis Beses, *Diccionario de argot español,* Barcelona, Sucesores de Manuel Soler, 1905.
[20] Carlos Clavería, «Argot», en *Enciclopedia Lingüística Hispánica,* Madrid, CSIC, 1959, t. II, pág. 358.

late» (hachís), «mono» (síndrome de abstinencia) y «chutarse» (inyectarse droga dura; derivado de «chuta», jeringuilla).

En rigor, estos últimos casos habría que estudiarlos en el plano semántico, ya que se trata casi siempre de voces ya existentes que —bien por analogía semántica, bien por pura convención— han adquirido acepciones específicas dentro de los dominios de la delincuencia.

4. *Aspectos semánticos.*— Aparte de los casos comentados en el parágrafo precedente, hay que incluir aquí aquellas voces que han sido tomadas del léxico usual para cargarlas de nuevas acepciones. Francisco Umbral observa a este respecto (cfr. ob. cit., nota 42, escena 1.ª, acto I) que el llamado «lenguaje cheli» se caracteriza especialmente no tanto por un caudal de voces inventadas cuanto por su gran capacidad para adoptar un material léxico de uso corriente y aplicarle valores figurativos.

Es lo que ocurre aquí en el caso de «madero» (cfr. nota 26 del acto I, escena 1.ª), «borde», «mosquearse», etc.

5. *Aspectos sintácticos y fraseológicos.*— Pese a ser un terreno muy poco explorado —tal vez por su dificultad sistematizadora—, la sintaxis del lenguaje coloquial nos brinda ricas posibilidades a la hora de caracterizar dicho registro, donde abundan licencias tales como: *anantapódonton* (supresión de uno de dos términos correlativos en un periodo), *aposiopesis* (reticencia o interrupción brusca del discurso), *braquilogía* (acortamiento de una frase), etc., amén de una multitud de construcciones «agramaticales», así consideradas de acuerdo con el canon normativo.

Las particularidades sintácticas, dignas de tenerse en cuenta, que se dan en el texto de *Bajarse al moro* quedarán comentadas puntualmente en las correspondientes notas a dicho texto.

A caballo entre los niveles léxico y sintáctico, tenemos el fraseológico. En el lenguaje coloquial, en general, y en el argot callejero y juvenil, en particular, tenemos todo un cortejo de signos-frase que, con igual derecho que los términos simples, pudieran figurar en un diccionario al uso, dado que se trata de fórmulas estereotipadas de expresión, no susceptibles de ser a su vez divididas en los elementos que las integran sin lesionar el sentido que entrañan.

Entre estos signos-frase de uso más frecuente, podemos señalar en nuestra obra: *de qué va*[21], *lo que yo te diga*[22], *de verdad*[23], *qué demasiao*[24], *qué pasa, de puta madre*[25], *pasar de*[26] y varias otras.

LA PRESENTE EDICIÓN

El texto de *Bajarse al moro* que aquí se publica, tiene por base el de su 2.ª edición (Madrid, Ediciones Antonio Machado, 1986), al que nos referiremos con el signo /II/. Se ha cotejado asimismo el texto en su primera versión (Ediciones Cultura Hispánica, ICI,

---

[21] «¡Justo! De la carne. Chóquela, amigo. Usted sabe de qué va. Con usted da gusto hablar.» (M. Vázquez Montalbán, *La Rosa de Alejandría*.)

[22] «Si te puedes coger un taxi, mejor; lo que yo te diga». (A. Sastre, *La taberna fantástica*.)

[23] «No lo sé, jefe, de verdad.» (Juan Madrid, *Regalo de la casa*.) «No, no... muchas gracias, Maruja, de verdad.» (*Ibíd.*)

[24] Esta frase admirativa sirve de título a una canción de Joaquín Sabina.

[25] «... pues esa melosidad combina de puta madre, es decir, de puta madre, bueno, a las mil maravillas...» (M. Vázquez Montalbán, *ibíd.*)

[26] «En un local le echó una jarra de cerveza por la cara a un fulano. Era un tío muy tranquilo y pasó del tema.» (Fermín Cabal, *Caballito del diablo*.) «Pasando de bodas, / pasando de modas, / pasándolo bien.» (J. Sabina, «Pasándolo bien», canción.)

Madrid, 1985) —al que haremos referencia mediante el signo /I/—, a fin de poder señalar, en sus correspondientes notas, las modificaciones producidas. En lo que respecta a las correcciones al texto base, hemos tenido en cuenta únicamente erratas tipográficas o errores acentuales, así como algún que otro signo de puntuación mal colocado, mas sólo siempre y cuando la enmienda haya servido para despejar el equívoco de una expresión literalmente ambigua.

Las notas al texto son de la más diversa índole. Aparte de las que apuntan las variantes entre una y otra edición de la obra, abundan las notas aclaratorias de expresiones jergales, nacidas del lenguaje marginal (cheli, drogota...) y extendidas al habla coloquial de una parte importante de la población joven, aunque menos familiares para un sector, no menos importante, de lectores. Son notas de tipo filológico, ya que, además de la glosa inherente a cada expresión, aportan *lexías* de otras obras en que dichas expresiones aparecen. También se contemplan en las notas las resonancias intertextuales que hayan podido detectarse, no tanto por fachenda de eruditos cuanto por acercar lo más posible la significación de la obra al contexto socio-cultural en el que se incardina. Toda alusión topográfica o histórica está igualmente glosada en la medida en que pueda satisfacer la curiosidad de lectores poco familiarizados con la realidad española, en general, y madrileña, en particular (pensamos en los muchos extranjeros interesados en la lectura de esta obra).

Bibliografía

A) *Obras de y sobre Alonso de Santos*

Para los datos correspondientes a este apartado, remitimos al lector al capítulo bio-bibliográfico de esta Introducción, donde están consignados todos y cada uno de los mismos (salvo error u omisión involuntaria) por orden cronológico.

B) *Ediciones de «Bajarse al moro»*

1.ª edición: Madrid, Ediciones Cultura Hispánica, Instituto de Cooperación Iberoamericana, 1985, 114 págs. Lleva un prólogo de Eduardo Haro Tecglen.

2.ª edición: Madrid, Ediciones Antonio Machado (Colección Teatral de Autores Españoles, núm. 8), 1986, 94 págs. (Lleva el mismo prólogo que la edición anterior.)

C) *Obras sobre semiótica teatral*

Incluimos en este apartado únicamente (por razones prácticas) obras en español, sean originales o traducidas a nuestra lengua. Para una información más exhaustiva, remitimos al libro de reciente aparición de María del Carmen Bobes Naves (Cfr. *infra*).

ADORNO, T. W., «Para una historia natural del teatro», *El teatro y su crisis actual* Caracas, Monte Ávila, 1969.

ALBADALEJO MAYORDOMO, Tomás, «Pragmática y sintaxis pragmática del diálogo literario. Sobre un texto dramático del duque de Rivas», en *Anales de literatura española,* Departamento de Literatura, Universidad de Alicante, 1982.

AUSTIN, J. L., *Palabras y acciones. Cómo hacer cosas con palabras,* Buenos Aires, Paidós, 1971.

BARTHES, Roland, *Ensayos críticos (Essais critiques,* París, Seuil, 1964), Barcelona, Seix Barral, 1967.

— «Drama, poema, novela», en *Teoría de conjunto (Théorie d'ensemble,* París, Seuil, 1968), Barcelona, Seix Barral, 1971, páginas 29-47.

Bettetini, G., *Producción significante y puesta en escena (Produzione del senso e messa in scena,* Milán, Bompiani, 1975), Barcelona, Gustavo Gili, 1977.

Bobes Naves, M.ª del Carmen, *Semiología de la obra dramática,* Madrid, Taurus, 1987.

Castagnino, R. H., *Semiótica, ideología y teatro hispanoamericano contemporáneo,* Buenos Aires, Trova, 1974.

— *Teorías sobre el texto dramático y representación teatral,* Buenos Aires, Plus Ultra, 1981.

Cueto Pérez, M., «La doble enunciación del texto dramático», en LEA, VIII, págs. 195-207.

De Marinis, M., «Problemas de semiótica teatral: la relación espectáculo-espectador», en *Gestos. Teoría y práctica del teatro hispánico,* I, 1986, págs. 11-24.

Díez Borque, José M.ª, y García Lorenzo, Luciano (eds.), *Semiología del teatro,* Barcelona, Planeta, 1975.

Eco, Umberto, *Obra abierta (Opera aperta,* Milán, Bompiani, 1962), Barcelona, Seix Barral, 1965.

— *Apocalípticos e integrados ante la cultura de masas (Apocalittici e integrati,* Milán, Bompiani, 1965), Barcelona, Lumen, 1968.

Grotowski, J., *Teatro de laboratorio,* Barcelona, Tusquets, 3.ª ed., 1980.

Helbo, A., *Semiología de la representación, Teatro, televisión, cómic,* Barcelona, Gustavo Gili, 1974.

Hormigón, J. M., *Teatro. Realismo y cultura de masas,* Madrid, Cuadernos para el diálogo, 1974.

Kristeva, Julia, *Semiótica (Sémeiotiké. Recherches pour une sémanalyse,* París, Seuil, 1969), Madrid, Fundamentos, 1981, 2 vols. (Véase en especial: t. I, págs. 117-146, y t. II, págs. 190-216.)

Latella, G., «Notas para un enfoque semiótico de la interacción», en LEA, VIII, págs. 169-175.

Lotman, Yuri M., *Estructura del texto artístico (Struktura fudozhestvemogo teksta,* Moscú, Iskusstvo, 1970), Madrid, Istmo, 2.ª ed., 1982.

Meyerhold, V., *Teoría teatral,* Madrid, Fundamentos, 1973.

Mounin, George, «La comunicación teatral», en *Introducción a la semiología,* Barcelona, Anagrama, 1972.

Mukarowsky, Jan, *Escritos de estética y semiótica del arte,* Barcelona, Gustavo Gili, 1977.

Niemeyer, Max, *Reflexiones sobre el nuevo teatro español,* Tübingen, ed. de Kaus Pörtl, 1986.

Olson, E., *Teoría de la comedia,* Barcelona, Ariel, 1978.

PAGNINI, M., *Estructura literaria y método crítico,* Madrid, Cátedra, 1975.

PÉREZ STANFIELD, M. P., *Direcciones del teatro español de posguerra: ruptura con el teatro burgúes y radicalismo contestatario,* Madrid, Porrúa, 1983.

ROSSI-LANDI, F., «Acción social y procedimiento dialéctico en el teatro», en *Semiótica y estética (Semiotica e ideologia,* Milán, Bompiani, 1972), Buenos Aires, Nueva Visión, 1976.

RUIBAL, J., *Teatro sobre teatro,* Madrid, Cátedra, 1973.

SALVAT, Ricard, *El teatro como texto, como espectáculo,* Barcelona, Montesinos, 1983.

STANISLAVSKY, Konstantin, *La construcción del personaje,* Madrid, Alianza, 1975.

— *El trabajo del actor sobre su papel,* Buenos Aires, Quetzal, 1977.

TOMACHEVA, G., *Creadores del teatro moderno. Los grandes directores de los siglos XIX y XX,* Buenos Aires, Centurión, 1946.

TORDERA, A., «Actor, espacio, espectador, teatro», en *Cuadernos de Filología,* I, Valencia, Universidad, 1981, págs. 143-156.

— «Teoría y técnica del análisis teatral», en *Elementos para una semiótica del texto artístico,* Madrid, Cátedra, 1978.

VOLOSHINOV, V. N., *El signo ideológico y la filosofía del lenguaje,* Buenos Aires, Nueva Visión, 1976.

WAGNER, F., *Teoría y técnica teatral,* Madrid, Labor, 1970.

WEISSMAN, Ph., *La creatividad en el teatro. Estudio psicoanalítico,* México, FCE, 1967.

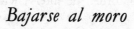

Bajarse al moro

Estrenada en el Teatro Principal de Zaragoza, el 6 de abril de 1985 en una producción de Justo Alonso

REPARTO
(por orden de intervención)

CHUSA
ELENA
JAIMITO
ALBERTO
DOÑA ANTONIA
ABEL
NANCHO

ACTO PRIMERO

ESCENA PRIMERA [1]

Habitación destartalada en una calle céntrica del Madrid antiguo. Posters por las paredes y un colchón en el suelo cubierto de almohadones. Sobre una mesa, revistas pop, como «Víbora», «Tótem» [2], *y otras. En un rincón una señal de tráfico, y en el otro una jardinera municipal. Sobre ella una jaula con un hámster. En el centro una mesita con aire moruno y unos sillones de mimbre de antes de la guerra. Además hay tiestos*

---

[1] El espacio escénico que aquí se describe, responde estrictamente al principio aristotélico de unidad de lugar, pues se mantendrá inmutado a lo largo de la obra. En cuanto al decorado, es éste de índole *Kitsch* (como queda explicado en la Introducción). Lo exótico-oriental está aquí connotado por «una mesita con aire moruno», «una cabeza de esclavo egipcio» y «un horóscopo chino», todo ello muy acorde con el trasfondo mítico-simbólico de la obra. El adjetivo «destartalada» con que la habitación se nos describe, aparte su valor expresivo, resulta en cierto modo recurrente en la obra del autor; en *La última pirueta,* por ejemplo, la acotación inicial nos presenta «un viejo y destartalado circo». Y en cuanto al «espejo de la cenicienta»..., ¿no será acaso un *lapsus* del autor, que habría pretendido referirse al de Blancanieves?

[2] Estas revistas *pop* (o *underground*) gozaron de gran predicamento en los *mass media* algunos años antes al de la acción de la comedia (1985). *El Vívora* acaba de cumplir su séptimo aniversario (en marzo del 87); en cuanto a *Tótem,* hace cosa de un año sufrió una quiebra, por lo que se halla actualmente en su segunda época. Se trata de producciones «contraculturales», cuyos comics e historietas son parodias parasitarias de *hechos* de cultura consagrada; en definitiva, son mensajes producidos por personas «de cultura» para consumidores «sin cultura».

y otros cachivaches inesperados, como una cabeza de esclavo egipcio con una gorra puesta, y cosas por el estilo encontradas en el Rastro[3]. A la derecha, formando un recodo se ve la puerta que da a las escaleras de salida a la calle. A la izquierda, una ventana por la que entran los ruidos de la ciudad. Y al fondo, una cocinilla, una puerta que da al lavabo, y otra que da a un cuarto pequeño. Por las paredes anda una flauta, un mantón de manila, unos bafles que no suenan, un armario, una colección de llaves, la cara de Lennon, el espejo de la Cenicienta y un horóscopo chino. Y, sin embargo, a pesar del aparente desorden, hay algo acogedor, relajante y bueno para los que están mal[4] de los nervios; porque es un lugar tranquilo y pacífico donde el caos que uno lleva dentro se encuentra lógico y con ganas de tomar asiento. Al comenzar nuestra historia, en escena está JAIMITO, *un muchacho delgaducho de edad indefinida, haciendo sandalias de cuero. Suena «Chick Corea»[5] en un casette. Es la una de la tarde y entra el sol por la ventana de la habitación.*

---

[3] «Rastro se denominaba el lugar donde se mataban reses para la venta de carne, y en el cerrillo de aquel nombre ha existido hasta reciente fecha —el autor se refiere a finales del siglo pasado, aproximadamente— el matadero de cerdos. En las proximidades de este lugar era también donde para el aprovechamiento de las pieles estaban las tenerías o fábricas de curtidos. Otra acepción de la palabra "rastro" era la del radio en que se extendía la jurisdicción de un lugar y el de la corte para atender en las causas criminales. (...) El mismo vocablo, que también significa señal o huella, se ha aplicado igualmente a los sitios que en las afueras de la población hubo de dedicarse a la venta de mercaderías viejas, objetos de desecho, y no pocos idos allí a parar contra la voluntad de sus dueños.» (Pedro de Répide, *Las calles de Madrid,* Madrid, Afrodisio Aguado, 3.ª ed., 1981, pág. 444a.)

[4] En la versión de I, se dice «para los que están de los nervios».

[5] *Chick Corea,* importante músico de jazz: pianista y compositor, que floreció a partir de los últimos «sesentas». Ha dirigido varios grupos, entre los cuales el más conocido es *Return to Forever* (d. 1972). «Chick Corea es otro músico del círculo de Miles Davis. De manera interesante, antes de dedicarse a la música de fusión, tocó free jazz.» (Joachim E. Berendt, *El jazz,* Madrid, FCE, 3.ª ed., 1.ª reimpr., 1986, pág. 454.)

(Se abre la puerta de la calle, y aparece la cabeza de CHUSA, *veinticinco años, gordita, con cara de pan y gafas de aro.)*

CHUSA. ¿Se puede pasar? ¿Estás visible? Que mira[6], ésta es Elena, una amiga muy maja. Pasa, pasa, Elena.

(Entra, y detrás ELENA *con una bolsa en la mano, guapa, de unos veintiún años, la cabeza a pájaros y buena ropa.)*

Éste es Jaimito, mi primo. Tiene un ojo de cristal y hace sandalias[7].

ELENA. *(Tímidamente.)* ¿Qué tal?

JAIMITO. ¿Quieres también mi número de carnet de identidad? ¡No te digo![8]. ¿Se puede saber dónde has estado? No viene en toda la noche, y ahora tan pirada como siempre.

CHUSA. He estado en casa de ésta. ¿A que sí, tú? No se atrevía a ir sola a por[9] sus cosas por si estaba su madre, y ya nos quedamos allí a dormir. *(Saca cosas de comer de los bolsillos.)* ¿Quieres un bocata?[10].

JAIMITO. *(Levantándose del asiento muy enfadado, con la sandalia en la mano.)* Ni bocata ni leches. Te llevas

---

[6] Vulgarismo sintáctico, muy usado entre la gente joven, aunque arraigado en el habla madrileña tradicional («que mira, chico», «que oye, muchacho»...).

[7] Repárese en estas superposiciones, de intencionada incoherencia lógica, que reportan un estilo surrealista.

[8] *¡No te digo!* o *¡no te digo lo que hay!*, expresión con que se refuerza en tono irónico lo ya dicho anteriormente.

[9] *a por,* solecismo sintáctico, propio del habla coloquial de esta comedia (según la norma, se diría: «No se atrevía a ir sola *por* sus cosas»).

[10] *bocata.* Este sufijo *-ata,* de cómico matiz, ha proliferado últimamente en medios juveniles, sobre todo, formándose palabras tales como: «drogata», «cubata», «tocata» o «sociata».

las pelas, y la llave, y me dejas aquí colgao, sin un duro... ¿No dijiste que ibas a por papelillo?

CHUSA. Iba a por papelillo, pero me encontré a ésta, ya te lo he dicho. Y como estaba sola...

JAIMITO. ¿Y ésta quién es?

CHUSA. Es Elena.

ELENA. Soy Elena.

JAIMITO. Eso ya lo he oído, que no soy sordo. Elena.

ELENA. Sí, Elena.

JAIMITO. Que quién es, de qué va, de qué la conoces...

CHUSA. De nada. Nos hemos conocido anoche, ya te lo he dicho.

JAIMITO. ¿Otra vez? ¿Qué me has dicho tú a mí, a ver?

CHUSA. Que es Elena, y que nos conocimos anoche. Eso es lo que te he dicho. Y que estaba sola.

ELENA. *(Se acerca a* JAIMITO *y le tiende la mano, presentándose.)* Mucho gusto.

(JAIMITO *la mira con cara de pocos amigos, y le da la sandalia que lleva en la mano; ella la estrecha educadamente.)*

JAIMITO. ¡Anda que...! Lo que yo te diga.

CHUSA. *(A* ELENA.) Pon tus cosas por ahí. Mira, ese es el baño, ahí está el colchón. Tenemos «maría» [11]

_____

[11] *maría,* «marihuana». Según la *Academia,* «...nombre del cáñamo índico, cuyas hojas, fumadas como el tabaco, producen efecto narcótico». [...] «La savia segregada por los pies femeninos / del cáñamo índico / contiene un 40 ó 45 % de principio activo: es el hachís. Si se fuman la hoja y los tallos secos cuyo contenido en resina no excede del 12 %, se le llama marihuana, grifa y, bien picada, kif. El cáñamo indio suele producir un estado somnoliento con sensación de bienestar, excitación y alegría, concluyendo con una general apatía. Según numerosos estudios sobre la *cannabis,* (...) no produce adicción, sino simplemente (...) hábito, y abando-

plantada en ese tiesto, pero casi no crece, hay poca luz. *(Al ver la cara que está poniendo* JAIMITO.) Se va a quedar a vivir aquí.

JAIMITO.   Sí, encima de mí. Si no cabemos, tía, no cabemos. A todo el que encuentra lo mete aquí. El otro día al mudo, hoy a ésta. ¿Tú te has creído que esto es el refugio El Buen Pastor[12], o qué?

CHUSA.   No seas borde[13].

ELENA.   No quiero molestar. Si no queréis, no me quedo y me voy.

JAIMITO.   Eso es, no queremos.

CHUSA.   *(Enfrentándose con él.)* No tiene casa. ¿Entiendes? Se ha escapado. Si la cogen por ahí tirada... No seas facha. ¿Dónde va a ir? No ves que no sabe, además.

JAIMITO.   Pues que haga un cursillo, no te jode. Yo lo que digo es que no cabemos. Y no digo más.

---

nar su uso es mucho más sencillo que el del tabaco, (...) pues no provoca síntomas psíquicos ni orgánicos de carencia...» (Camilo J. Cela, *Enciclopedia del erotismo,* Barcelona, Destino, 2.ª ed., 1986, vol. I, pág. 708.)

[12] Jaimito habla de oídas, toda vez que amalgama dos instituciones de cierta solera en la historia madrileña: de un lado, el refugio, como lugar donde se alberga a gentes sin hogar y a peregrinos; de otro, una Asociación caritativa. La Hermandad del Refugio (fundada en 1615) tuvo como centro hospitalario (d. 1702) el convento de San Antonio de los Alemanes (antes, de los Portugueses), entre la Corredera Baja de San Pablo y la calle de la Puebla: «En las hospederías establecidas en la misma casa, para albergue, por una noche, de los pobres transeúntes, o que salen de los hospitales, se reciben a los que se presentan después del toque de oraciones, yendo provistos de los oportunos pasaportes, cédula de vecindad o alta de dichos hospitales.» (Ángel Fernández de los Ríos, *Guía de Madrid,* Madrid, Oficinas de la Ilustración Española y Americana, 1876, pág. 614b.) En cuanto a la Asociación de Caridad del Buen Pastor, nos dice Pascual Madoz: «La junta que lleva este nombre fue fundada en el año de 1799, con el objeto de atender al alivio espiritual y temporal de los pobres presos en las cárceles de Corte, y proporcionarles ocupación en diferentes ramos de industria.» *(Diccionario Geográfico-Estadístico-Histórico, Madrid,* Madrid, 1848, pág. 379a.)

[13] *borde,* «antipático, intratable, malintencionado» (Juan Manuel Oliver, *Diccionario de argot,* Madrid, SENAE, 1987). (En adelante, señalamos esta obra D.A.).

CHUSA. Sólo es por unos días, hasta que se baje al moro [14] conmigo.

JAIMITO. ¿Que se va a bajar al moro contigo? Tú desde luego tienes mal la caja. [15].

CHUSA. ¡Bueno! *(Se desentiende de él y va hacia la cocina.)* ¿Quieres un té, Elena?

ELENA. Sí, gracias; con dos terrones.

(Se sienta cómodamente para tomar el té. JAIMITO *la mira cada vez más preocupado, y* CHUSA *canturrea desde la cocina mientras calienta el agua.)*

JAIMITO. ¿Y por qué vas a llevarla? Quieres que nos cojan, ¿no?

CHUSA. *(Desde la cocina.)* Será que me cojan a mí, porque a tí, ahí sentado...

JAIMITO. Oye, no sé a qué viene eso. Sabes muy bien que no voy por lo de la cara sospechoso [16]. Pero yo vendo, ¿no? ¿O me echas algo en cara?

CHUSA. Lo único que te digo es que se va a venir conmigo, para sacar pelas. Y ya está.

JAIMITO. Pues que venda aquí si quiere, pero ir, no. Si es una cría.

ELENA. Es que como quiero viajar...

JAIMITO. Pues hazte un crucero, tía. ¿Pero tú le has explicado a ésta de qué va el rollo? A ver si se cree

---

[14] *bajarse al moro,* «viajar al norte de África para comprar hachís» (D. A., 6.ª acep., Apéndice, pág. XXIV). Goza de cierta tradición en nuestra lengua el valor metonímico de *moro* = «norte de Marruecos»: «Unos días después le dijo Jesús a Manuel: / —¿Quieres darme diez duros? / —¿Para qué? / —Para irme al moro. / —¿Al moro? / —Sí, voy a Tánger.» (Pío Baroja, *Aurora roja;* M. Fernando Fe, 1904, parte II, cap. 5.) «CELES.—Como cuando nos bajábamos juntos al moro, ¿te acuerdas, Rosco?» (Fermín Cabal, *Caballito del diablo.)*

[15] *la caja,* (fig.) «la cabeza».

[16] Solecismo sintáctico, por el que se suprime el nexo en un sintagma preposicional (comp.: «cara tonto», «pedazo pan»...).

que esto es ir de cachondeo con Puente Cultural [17].

CHUSA. *(De la cocina, con el té.)* Tú no te metas; eso es cosa mía. ¿Con mucho azúcar has dicho, Elena?

ELENA. Dos terrones.

CHUSA. Es que no tenemos terrones aquí.

ELENA. Bueno, pues regular de azúcar. Es que engorda. Trae, me la echo yo. ¿Sacarina no tenéis?

CHUSA. No.

ELENA. ¿Y la cucharilla, para darle vueltas?

JAIMITO. Trae, te doy las vueltas con el dedo.

CHUSA. *(Cortándole.)* ¡Venga tú! *(A* ELENA.*)* Mete la parte de atrás de la cuchara. *(A* JAIMITO.*)* ¿Tú quieres?

JAIMITO. *(Seco.)* No.

(Beben las dos mientras él, malhumorado, vuelve a su trabajo con las sandalias.)

ELENA. ¿Saco las cosas?

CHUSA. Sí. No las pongas ahí. Ese es el rincón de Alberto; no le gusta que le desordenen ni le toquen nada. Ya le conocerás luego. Está chachi [18], te va a gustar. Es muy alto, fuerte, moreno, con una pinta que te caes. ¡Ah! Ese es Humphrey [19], el hámster. Le encanta la lechuga.

ELENA. *(Al mirar al rincón de* ALBERTO *ve una porra sobre un mueble.)* Parece una porra. *(Se acerca y la coge.)* Oye, es igualita que la que llevan los...

---

[17] Conocida Agencia de viajes, que dio en quiebra hace unos años.

[18] *chachi,* «muy bueno», «muy bien» (de or. git.); es apócope de *chachipén.*

[19] El nombre del hámster es, evidentemente, homónimo y alusivo al del célebre actor americano Humphrey Bogart (Nueva York, 1900-Hollywood, 1957). Como ya se verá más adelante, es, en *Bajarse al moro,* relevante el valor intertextual de la película *Casablanca* (1942), quizá el más conocido film de Bogart. Aparte otros motivos, el nombre del roedor tal vez pueda explicarse por la paronomasia *hámster-gángster* (cuyo segundo miembro aludiría a uno de los tipos a que dio vida el actor).

JAIMITO. (*A* CHUSA, *que está llevando lo del té a la cocina.*) Me vas a acabar metiendo en un mal rollo por tu alma de monja recogetodo que tienes. Bueno, ¿y las pelas para el billete?

CHUSA. (*Desde la cocina.*) Las pones tú, que para eso te quedas dándole a las sandalias, mientras yo ando de safari jugándomela.

JAIMITO. A ti hoy la goma de la olla no te cierra. ¿Quién organiza aquí, eh? ¿Y quién controla para que todo salga bien?

CHUSA. (*Volviendo de la cocina.*) Santa Rita [20]. (*A* ELENA *ahora, al verla con la porra en la mano.*) No toques eso; es de Alberto. Se mosquea rápido en cuanto nota que alguien ha andado ahí. Mete tus cosas aquí, en mi armario.

ELENA. Es que es igualita. ¿Os habéis fijado cómo se parece a las que lleva la...?

JAIMITO. (*Cortándola.*) ¿Qué es eso?

ELENA. ¿Esto? Pues ya he dicho, estaba aquí, que se parece a las... [21].

JAIMITO. No, eso. Eso que llevas debajo del brazo.

ELENA. ¿Esto? «El País». «El País» de hoy. ¿Por qué?

JAIMITO. Tú eres una tía tela de rara. ¿Por qué compras tú el periódico, a ver? ¿Estas buscando piso?

ELENA. Es que mi madre, siempre que me escapo, manda una foto a «El País», con un anuncio para que me encuentren. A ver si he salido... (*Hojea el*

---

[20] *Rita* o *Santa Rita* es el comodín con que se expresa la indiferencia ante el *quién* implicado en una acción (ya sea sujeto, objeto, destinatario...), como en el presente caso, aunque equivale también al rechazo de la acción: «Que trabaje Rita», «Que se lo pidan a Santa Rita»...

[21] Obsérvense las reticencias con que se eluden los elementos *tabú*, relativos a la policía.

periódico ante la mirada sorprendida de los otros dos.) Sí, mira, aquí está.

JAIMITO.   ¿Esta eres tú? Pues si te tienen que encontrar por la foto...

CHUSA.   La verdad, no te pareces en nada.

ELENA.   Es de cuando era pequeña. Hace mucho que no me hago fotos. Salgo muy mal yo en las fotos.

JAIMITO.   Sí sales mal, sí. Tienes cara de loca.

ELENA.   Como estoy de frente... y luego el papel.

CHUSA.   *(Leyendo el pie de la foto.)* «Vuelve a casa hija, que te perdono. Tu madre.»

ELENA.   *(Recortando el trozo de periódico.)* Hago colección.

JAIMITO.   ¿Y no tienes padre, o ése no te busca?

ELENA.   No, padre no tengo.

CHUSA.   Yo tampoco tengo padre. Es mejor.

(Se abre de pronto la puerta de la calle y entra a todo correr ALBERTO, *el otro habitante del piso, vestido de policía nacional. Tiene unos veinticinco años, alto, y buena presencia.* ELENA *se queda blanca al verle.)*

ALBERTO.   ¡La policía! ¡La policía, tíos! ¡Rápido, que vienen! ¡Tirar al water lo que tengáis! ¡Han salido de mi comisaría a hacer un registro, no vaya a ser aquí, que venían para esta zona! *(Esconde el tiesto de «maría». En este momento se da cuenta de la presencia de* ELENA.)

CHUSA.   Es una amiga. Oye, no sé qué vamos a tirar, si no tenemos nada. *(A* JAIMITO.) ¿Te queda algo?

JAIMITO.   Una china [22] grande, pero no la tiro, que es lo único que nos queda. Rápido, tú. *(A* ELENA.) A

---

[22] *china,* «pedacito de hachís con el que aproximadamente se puede liar un porro». (Víctor León, *Diccionario de argot español,* cit. En adelante, DAE.)

practicar. Toma, métetela donde no te la encuentren...

ELENA.   *(Retrocede asustada sin atreverse a cogerlo.)* ¡Yo no sé!

CHUSA.   ¡Trae! *(Coge la china y se mete en el lavabo.)*

JAIMITO.   *(A* ALBERTO, *señalando a* ELENA.) Se la ha encontrado.

ELENA.   *(Ofreciendo, educada, su mano a* ALBERTO.) Elena, mucho gusto. Anda que si te pillan...¿Por qué tienes puesto ese uniforme?

ALBERTO.   Pues porque estoy de guardia, por qué va a ser.

(Va a la ventana, la abre y mira fuera. Luego cierra.)

No se ve nada raro. Yo me largo de todas formas, no sea que...¿Qué hay de comer?

JAIMITO.   Ahora iba a bajar a la compra. Se largó la Chusa anoche y me dejó sin un clavo.

ALBERTO.   Salgo a las tres, así que a y cuarto o así estoy aquí.

(Va hacia la puerta, mientras CHUSA *sale del lavabo. En este momento llaman con golpes fuertes. Todos se esconden donde pueden en un movimiento reflejo. Vuelven a golpear más fuerte aún.)*

VOZ FUERTE DE MUJER.   ¡Abrir de una vez! ¡Alberto! ¡Abre!

ALBERTO.   Parece mi madre.

(Abre la puerta y entra la señora ANTONIA, *madre de* ALBERTO, *gorda y dicharachera. Nada más entrar, empieza a dar golpes con el bolso a su hijo.)*

DOÑA ANTONIA.   ¿Se puede saber qué haces aquí, golfo, más que golfo? ¡Ya estás otra vez con toda

. esta panda! ¡He ido a llevarte el bocadillo a la comisaría y nada! ¡La puerta de la comisaría vacía, sin nadie, y tú aquí! ¡Ya te voy a dar yo a ti...!

ALBERTO. *(Tratando de sujetarle el bolso.)* Pero mamá, sólo he venido a por la porra, de verdad, que se me había olvidado.

JAIMITO. No se ponga así, señora, que no nos comemos a nadie, ni tenemos la lepra.

DOÑA ANTONIA. ¿Y por qué no abríais, eh, degeneraos? Seguro que os estabais drogando bien a gusto, ahí, con las jeringuillas. ¡Si estuviera aquí tu padre ya te ibas a enterar tú, sinvergüenza! ¡Eso es lo que eres!

CHUSA. Señora, no es para tanto. Aquí no hay jeringuillas ni nada de eso. Puede mirar lo que quiera.

JAIMITO. La ha tomado con nosotros.

ALBERTO. Mamá, que no. No te enteras. No abríamos porque creíamos que era la policía. Por eso [23].

DOÑA ANTONIA. ¿La policía? *(Esconde el bolso en medio de un gran sofoco que le entra.)* ¡La policía! ¡Que viene la policía!

ALBERTO. ¡Que no! Que creíamos que era, pero que no era... *(Se da cuenta entonces de la reacción de su madre.)* ¿Qué esconde ahí?... A ver... Seguro que ya ha estado otra vez con lo mismo. ¡Traiga aquí!

(Le quita el bolso de un tirón, muy en policía [24], y ella trata de impedir que vea lo que hay dentro.)

DOÑA ANTONIA. ¡No, no, de verdad que no...! ¡Dámelo ahora mismo, que es mío!

---

[23] Obsérvese la diferencia entre este primer tratamiento, de «tú», con que Alberto se dirige a su madre, y el de «usted», que adoptará en lo sucesivo.

[24] *Muy en policía,* braquilogía coloquial = «muy en plan de policía», «muy al estilo de...». «ANTOÑITA. —No te pongas en directora.» *(Fuera de quicio,* ed. cit. en Introducción, pág. 133.)

(Abre ALBERTO el bolso y empieza a sacar montones de baberos de niño ante la mirada divertida de los demás.)

ALBERTO.   ¡Madre! No ve que me va a comprometer si la cogen.

DOÑA ANTONIA.   Es una enfermedad, hijo, ya te lo dijo el médico. Es como el que tiene gripe, qué le vamos a hacer. Pruebas que nos manda Dios. Peor es lo tuyo de las drogas. Eso además es pecado mortal.

ALBERTO.   *(Muy duro.)* ¡Qué enfermedad ni qué leches!

CHUSA.   Deja a tu madre, que haga lo que le dé la gana, que ya es mayorcita. No te pongas en policía con ella.

ALBERTO.   Es que me va a meter en un follón. Cualquier día me toca ir a detenerla, fíjate el numerito. Vamos a salir en los periódicos.

JAIMITO.   Como ésta. *(Por ELENA.)* Le pone la madre anuncios para que vuelva. Enséñales la foto, anda.

ALBERTO.   Además roba cosas que no valen para nada. Ahora le ha dado por los baberos. ¿Por qué ha cogido todos esos baberos, eh? ¿Es que no tenemos ya bastantes en casa? Toda la casa llena de baberos, montones de baberos. Debajo de la cama, baberos. En la cocina, baberos. En el frigorífico, baberos.

JAIMITO.   Podíais poner una babería.

ELENA.   ¿Y eso qué es?

CHUSA.   Está de coña[25]. *(A ALBERTO, que mira ahora*

---

[25] *de coña,* «de broma», «de chunga». Aunque el sentir general hace derivar esta palabra de su parónima *coño,* a nuestro modo de ver, bien pudiera proceder de *quoniam,* voz mediante la cual (y en virtud de cierta metonimia contextual) era jocosamente designada la barragana en los ambientes goliardescos del Medievo (cfr. la correspondiente nota de

de mala manera a JAIMITO *por la broma.)* Venga, no le des importancia, que no es para tanto. Y vamos a guardarlos, a ver si van a venir y nos detienen por lo que no hemos hecho.

JAIMITO.   O también podíamos poner una guardería.

(Coge un babero y se lo pone. ALBERTO *se lo quita de un tirón.* CHUSA *ayuda mientras tanto a* DOÑA ANTONIA *a guardar los que se le han caído por el suelo.)*

DOÑA ANTONIA.   ¿Quién es? *(Por* ELENA.*)*

JAIMITO.   Se la ha encontrado ésta. Como usted los baberos.

ALBERTO.   Bueno, ya, ¿eh? ¡Basta de cachondeos con mi madre, que saco la porra!

JAIMITO.   ¡A ver si te vas a mosquear ahora conmigo, madero, que eres un madero! [26].

(Mira ALBERTO *con tristeza a su amigo, acusando el golpe. Luego mira su reloj.)*

ALBERTO.   Me tengo que ir, no se den cuenta [27]. Ya no creo que vengan, no sería aquí. Cualquier día me vais a meter en un lío entre todos... *(Mira a* JAIMITO.*)* «¡Madero!» Encima.

JAIMITO.   Espera, bajo contigo, así me tomo un café, que estoy en ayunas. *(Le da un golpe amistoso en el*

Corominas en su edición del *Libro de Buen Amor,* Madrid, Gredos, 2.ª ed., 1973, pág. 626b).

[26] *Madero,* «miembro de la Policía Nacional». Débese el remoquete al color del uniforme (pantalón beig, camisa de igual color y cazadora marrón), del mismo modo que se llamaban *grises,* también por el color indumentario, a los agentes de la Policía Armada, antecesora de la actual. «Tocho. —¡Ahí va! La abuela se ha cargado otra vez al madero! ¿Has visto, Leandro?, ya mandó otra vez a soñar al poli.» *(La estanquera de Vallecas,* cuadro primero.)

[27] Braquilogía, «no (vaya a ser que) se den cuenta».

hombro.) Y no te mosquees, que te mosqueas por nada últimamente.

(ALBERTO *reacciona con otro golpe amistoso, y salen los dos dándose puñetazos en un juego que se adivina viene de muchos años atrás.)*

DOÑA ANTONIA.   Un café a la una, qué desbarajuste. *(A su hijo, alcanzándole en la puerta.)* Toma el bocadillo, y estírate la camisa. *(Le da el bocadillo y le coloca la ropa.)* Que vas hecho un cuadro.

ALBERTO.   ¡Vale! ¡Vale! Hasta luego.

(*Sale y cierran la puerta. Se oyen las risas perdiéndose escaleras abajo entre ruidos que indican que siguen jugando a golpearse como dos críos. Quedan en escena las dos chicas y* DOÑA ANTONIA, *mirándose sin saber qué decirse.)*

DOÑA ANTONIA.   *(Suspirando.)* ¡Ay, Dios mío! ¡Qué hijos éstos!

ELENA.   ¿Tiene usted más? ¿Más hijos?

DOÑA ANTONIA.   Te parece poco con este bala perdida. Anda, dadme una copa de coñac si tenéis por ahí, a ver si se me quita el disgusto que tengo.

CHUSA.   Se acabó usted el último día la botella. Sólo hay té. ¿Quiere té?

DOÑA ANTONIA.   ¿Té? Quita, quita. Yo sólo tomo té cuando me duele la tripa. ¿Y tú quién eres? No te conocía.

ELENA.   Es que soy nueva. Soy Elena. Mucho gusto.

(*Le da la mano.* DOÑA ANTONIA *se limpia la suya y se la estrecha encantada, sorprendida de los buenos modales de alguien en aquella casa.)*

DOÑA ANTONIA.   ¡Huy! Encantada, hija. Antonia del

Campo, calle de la Sal[28], doce, bajo C. Allí tienes tu càsa. ¡Ay, Dios mío! Otra infeliz que cayó en el vicio, con la cara de buena que tienes. ¡En fin! *(Se arregla la ropa y coge el bolso.)* Bueno, me voy a echar un bingo. A ver si cojo hoy un par de líneas por lo menos. A esta hora es cuando está mejor y más decente. Como está enfrente del mercado, sólo señoras, amas de casa y alguna criada.

CHUSA.   Adiós, doña Antonia, que siga usted bien.

ELENA.   Adiós y encantada.

DOÑA ANTONIA.   Y a ver si venís algún sábado a las reuniones, que si cae un rayo allí no os pilla, no. Hala, adiós.

CHUSA.   No se preocupe, que el sábado vamos sin falta los cuatro. Adiós, adiós. *(Sale* DOÑA ANTO- NIA.*)* ¡Puf! Menos mal. Si no es por el bingo hoy no nos la quitamos ya de encima.

ELENA.   ¿Y tenemos que ir el sábado a una reunión? ¿Qué reunión?

CHUSA.   Esa es otra. Un sábado nos lió y nos llevó a una reunión de neocatecumenales[29]. Sí, sí: «No estás solo, el Señor te guarda...», y todo eso.

ELENA.   Está peor que mi madre.

CHUSA.   ¿También es neocatecumenal?

ELENA.   Era lo que le faltaba.

---

[28] Es ésta una pequeña calle, entre la de Postas y la Plaza Mayor, no lejos de donde se sitúa la acción de la comedia (Lavapiés): «Ostenta este nombre desde el siglo XVII, y se llamó también Real de la Sal, porque allí se vendía este género en un depósito con una gran reja de hierro.» (Pedro de Répide, *op. cit.,* pág. 600a.)

[29] La asociación *neocatecumenal* surgió a raíz del Concilio Vaticano II, en un intento de recuperar el espíritu de la Iglesia primitiva. La soteriología (la salvación en Cristo) es, al parecer, uno de los principios que la animan. La visión, un tanto esperpéntica, que de tal asociación nos da el autor a través de Chusa y Doña Antonia, nos trae a la memoria lo que debieron ser, allá por los 60, los no menos pintorescos *cursillos de cristiandad (vid. infra,* nota 13 a la escena primera del acto II).

CHUSA. Pues chica, ésta nos ha metido cada rollo con las catequesis que dan y eso... Además, como es para recuperación de marginales a nosotros nos viene al pelo[30], como ella dice. *(Ríen las dos.)* Como somos «drogadictos», por cuatro porros, sabes; pero es que para ella todas las drogas son iguales y pecado. Pero el coñac es agua bendita, eso sí.

ELENA. ¿Y qué hacías allí el día que fuisteis?

CHUSA. Cantábamos. Cantábamos todos muy serios. *(Canta imitando.)* «Cuando el Señor dijo Sión... todos nos fuimos al pantano...», o algo así. *(Ríen las dos.)* Como te coja un día por banda no te vas a reír, no. Es peor que el telediario.

ELENA. ¿Y el hijo también es neocatecumenal?

CHUSA. ¿Alberto? ¡Qué dices! Alberto es normal, aunque le veas así vestido de policía, es completamente normal. Bueno, también es que lleva poco tiempo. Es muy guapo, ¿no?

ELENA. No está mal, aunque así, con esa ropa, no me hago una idea.

CHUSA. Pues a mí me encanta, chica. Con esa ropa, con cualquier ropa, y sin ropa. Bueno, tenemos que prepararlo bien todo para el viaje. Hay que llevar pocos bultos para que no nos paren[31], e ir bien vestidas. ¿Sólo tienes eso?, ¿no tienes nada que te dé más pinta de mayor?

ELENA. En casa sí, pero aquí... La falda que tengo en la bolsa, si acaso. *(La saca de la bolsa.)* Me puedo poner ésta y el jersey marrón. Puedo ir a por más

---

[30] *al pelo,* «bien», «estupendamente»; aquí, «como anillo al dedo», «como pedrada en ojo de boticario». Es locución adverbial castiza (por eso apostilla Chusa «como ella dice»): «Me vine a esa casa, y allí estoy al pelo» *(La Gran Vía,* de F. Pérez y González, con música de F. Chueca, 1886). No debe confundirse con *a pelo,* «sin ayuda», «a palo seco».

[31] En el texto de I, «y».

ropa si quieres el fin de semana, que no está mi madre; se va a la sierra.

CHUSA. ¿El fin de semana? Si nos vamos pasado mañana o al otro como mucho.

ELENA. ¿Así? ¿Tan pronto?[32].

CHUSA. Ahora en Semana Santa es mejor. Hay más turistas, más lío, viaja más gente... ¿Te echas atrás?

ELENA. No, no, si quiero ir, pero no sé si sabré así tan pronto. Como no me lo has explicado bien, a lo mejor no sé.

CHUSA. No hay nada que explicar. Vamos, llegamos, lo compramos y volvemos[33].

ELENA. ¿Dónde cogemos el tren? ¿En Atocha?

CHUSA. Pues sí, en Atocha. ¿Y eso qué mismo da[34] si es en Atocha o no es en Atocha?

ELENA. Nada, mujer, es por saber. En Atocha. Este pantalón es muy bonito, me lo tienes que dejar algún día. *(Saca del armario y se prueba un pantalón de* CHUSA.*)* En Atocha.

CHUSA. Sí, en Atocha. Montamos en el tren, una detrás de la otra. Antes hay que sacar los billetes. *(*ELENA *la mira sin entender por qué le dice esa tontería.* CHUSA *le ayuda a hacer un hueco en su armario y a colocar sus ropas, probándose algunas que le gustan.)* Bueno, mira: vamos primero a Algeciras, y para eso cogemos el tren en Atocha. Y luego allí, un barco nos cruza en dos horas.

---

[32] En el texto de I, «¿Tan de pronto?»

[33] Parodia estilística de la célebre frase telegráfica con que César, en carta a su amigo Mincio, resumía su rápida victoria de Zela (Anatolia) contra Farnaces, hijo de Mitrídates: *Veni, vidi, vici.* De parejo cuño es este ejemplo de Valle-Inclán: «EL CHICO DE LA TABERNA —Entró, miró, preguntó y se fue rebotada.» *(Luces de bohemia,* escena III.)

[34] *Qué mismo da,* «qué más da», «qué importa»; se trata de un modismo que el autor utiliza en alguna otra ocasión: «MI PADRE. —Venga, qué mismo da. Seguramente aunque se ponga no saldrá.» *(El álbum familiar,* escena segunda.)

ELENA.   En el barco me mareo. Yo enseguida lo echo todo.

CHUSA.   Mientras no te dé colitis a la vuelta, te puedes marear y vomitar lo que quieras. Está la barandilla del barco puesta a una altura a propósito, y el mar ni se entera. Te pones en la cola, y hala.

ELENA.   Yo me pongo malísima.

CHUSA.   Si no es nada. Dos horas. No te das ni cuenta. Es peor el tren, que es un latazo. Tarda como doce horas.

ELENA.   ¿Tanto?

CHUSA.   Es un mogollón de tren; está lleno de moros, huele mal... Seguro que nos encontramos a alguien conocido en él, basquilla. Pero tampoco hay que dar mucho cante, que están los trenes últimamente fatal; a la mínima de cambio, como te fumes un canuto, ya la has hecho. Por eso nosotros, suavito. Nos compramos unos bocatas para comer algo en el viaje, y a las diez o así de la mañana llegamos. Sale de aquí a la diez de la noche y llega allí a las diez de la mañana. Doce horas, lo que te digo. Luego, en Algeciras vamos rápido, a ver si podemos pillar el barco de las diez y media o el de las doce, como mucho. Llegamos a Ceuta y nos vamos directamente a la estación de autobuses, y a Tetuán. Allí cogemos otro autobús, y a Chagüe [35], que es un pueblecito rodeado de tres montañas, muy bonito, como esos que salen en las películas, con los techos así redondos, todo blanco, precioso.

---

[35] *Chagüe,* forma vulg. de *Xauen (Chechaouen),* población del norte de Marruecos (15.000 hab.), cap. de la provincia homón., situada al sureste de Tetuán y rodeada de montañas, que son las de la parte occidental de la cadena del Rif, y próxima al río Lau. La sublevación de Xauen (las tropas de Abd-el-Krim) tuvo gran importancia para España en la campaña de África (1925-26).

ELENA. ¿Tú lo conoces bien, no? A ver si nos vamos a quedar allí en las montañas, y nos perdemos o nos pasa algo... ¿Y lo de dormir y todo eso?

CHUSA. Allí, en Chagüe, dormimos la primera noche, en una pensión muy bonita que hay, chiquitita. ¡Huy, qué blusa, déjame...! A ver cómo me está. *(Se la prueba.)*

ELENA. ¿Y no cogeremos allí piojos... y cosas?

CHUSA. ¡Qué vas a coger, mujer! No. Bueno, a lo mejor, pulgas sí que habrá; pulgas casi seguro.

ELENA. ¡Pulgas!

CHUSA. No pasa nada. Al día siguiente te has acostumbrado. Y si no, nos echamos limón.

ELENA. A mí me da un poco de cosa con los moros.

CHUSA. Conmigo siempre se han enrollado bien, pero hay que tener mucho cuidado. A un amigo mío en Marruecos le pillaron mangando una manzana y le querían cortar la mano. Es la pena para los ladrones.

ELENA. ¿Todavía?

CHUSA. Fíjate. El tío nerviosísimo, figúrate, y todos sus colegas igual, porque es que veían que se la cortaban. Él tiraba para atrás, pero nada, ellos, cabezones, que se la cortaban. Fíjate, montando una allí que te cagas. Robas una manzana y te quedas con el muñón.

ELENA. Qué demasiao.

CHUSA. De qué, ¿no? Encima de que vamos allí a darles de comer los europeos. Qué pasa. Pero nosotras en plan tranqui [36], nos vamos rápido para Cha-

---

[36] Siguiendo la tradición del habla popular, el lenguaje marginal de los últimos años ha incorporado nuevas voces apocopadas, que en ocasiones llegan a autonomizar su entidad de su forma primitiva: *tranqui, chachi* (pén), *maca*(rra), *mani*(festación), etc. (Para el uso tradicional de este recurso, véase Manuel Seco, *Arniches y el habla de Madrid,* Barcelona, Alfaguara, 1970, págs. 169-71.)

güe, que allí ya es otra cosa. Y luego como lo veamos. O nos vamos a comprarlo directamente, o si nos apetece nos vamos antes a dar una vuelta por Fez o Marraquech[37], a ver a los encantadores de serpientes por la calle, que están tocando la flauta, ahí, y salen del cesto...[38].

ELENA.   Ay, qué bien, qué bonito. ¿Vivas? ¿Vivas las serpientes?

CHUSA.   Si estuvieran muertas y salieran ya sería demasiado, ¿no? Ya verás qué bonito todo allí, y la pensión de Chagüe, con unos arcos que tienen en el patio...

ELENA.   Y con las pulgas.

CHUSA.   Que no pasa nada, y es cantidad de barata además. Es lo más barato allí. Cuesta diez dirjan la noche; unas doscientas pesetas.

ELENA.   ¿No podíamos ir a alguna un poco más cara, que no hubiera pulgas?

CHUSA.   Allí hay pulgas en todos los sitios. ¿No ves que es África? Luego ya, desde allí, nos subimos a la montaña, a casa del Mojamé[39], que es el que nos lo vende.

ELENA.   ¿Y vamos a su casa? ¿En una montaña? ¿Y cómo subimos?

CHUSA.   Por la carretera, por dónde vamos a subir. Hay carretera. Y ya verás, tía, se enrollan de puta madre. Los moros de la ciudad, ya te digo, man-

---

[37] En el texto de I, «Marraques». Obsérvese, por otra parte, la escasa idea de Chusa acerca de las distancias, pues la existente entre Xauen y Marrakech es mucho mayor que entre Xauen y Tetuán; por lo que no es tan fácil la opción de «dar una vuelta», alegremente.

[38] Nótese el estilo vivo y espontáneo en este discurso de Chusa, donde se da todo tipo de licencias sintácticas (elipsis, anantapódotos y braquilogías, sobre todo).

[39] *Mojamé,* por sinécdoque, «moro».

guis [40] que te caes; pero los de la montaña son buena gente.

ELENA. A mí lo que me da miedo es si no podemos luego volver.

CHUSA. Venga ya, no digas cosas raras. Yo he ido y he vuelto, ¿no? Dormiremos allí esa segunda noche, en la casa del moro. Ya verás qué punto [41] tiene todo.

ELENA. ¡Ay, hija! Me da un poco de miedo dormir ahí con un moro.

CHUSA. Por Dios, tía, no vas a dormir con el moro. El moro se va a otro sitio, y a ti te deja en un cuartito de esos que tienen una cama todo alrededor que parece como si fuera un asiento, pegado a la pared, y duermes allí tumbada, de lado. Allí duermen así siempre, en hilera y de lado. No tienen camas.

ELENA. ¿Y sábanas?

CHUSA. Pijama también si quieres. Allí no usan eso, pero está precioso, tapizado, bonito, con una mesas de esas para tomar el té. En cuanto ven que no haces nada te traen un té. Se enrollan los moros de la montaña de puta madre. Llegamos allí y le decimos al moro: «Mojamé, tenemos estas pelas, así que a ver lo que nos podemos llevar.» ¿Tú puedes conseguir algo de dinero para traer más?

ELENA. Si acaso lo que me he traído, o puedo sacar algo de la cartilla si quieres. ¿Y cómo nos lo vamos a traer, lo que compremos?

CHUSA. En el culo, en el chumi [42], nos lo comemos, lo que sea. Hay que pasarlo.

---

[40] *mangui,* «ladronzuelo», «chorizo» (DAE).

[41] *qué punto,* «qué bien», «qué bonito».

[42] En el texto de I, «en la vagina». (Nos informa el autor a este propósito que el cambio se debió a la preferencia léxica de las actrices

ELENA. ¿?

CHUSA. Tenemos que convencerlos para que nos fabriquen ellos el costo[43]. También nos lo podemos hacer nosotras si queremos, pero es un curre. Yo por saber, sé. A mí me das unas ramas y te hago un doble cero[44] en nada. Pero te pones las manos hechas polvo. Te salen callos de apretar.

ELENA. ¿El doble cero es el mejor, no?

CHUSA. El primer polvo que da la rama. La rama está llena de polen, el primer toque que le das cae el polvito blanco; lo coges y se convierte en una bolita de goma negra. Doble cero. Lo mejor.

ELENA. Pero será lo más caro.

CHUSA. Claro. Ten en cuenta que si tienes, qué te digo yo, a lo mejor diez kilos en varas de hachís cortado en ramas, da sólo doscientos gramos o así de doble cero. Si luego le das cien vueltas ya a la

---

interesadas en este diálogo.) Obviamente, *chumi* es apócope de *chumino* (recuérdese lo dicho en nota 36). Goza esta voz de cierta prosapia: «Un médico higienista soy mohíno, y spéculum en mano sin parar. / ¡Es ver coños y coños y chuminos / y meter y meter sin descansar!» (Alejo de Montado, *Parodia cachonda de «El diablo mundo» de Espronceda*, 1880, cit. por C. J. Cela, *Diccionario secreto, 2*, Madrid, Alianza, 1974, pág. 455.) Sobre esta práctica en el tráfico de drogas, hay ya toda una literatura: «NENA. —¿Todo en el culo? ROSCO. —¡Todo no! NENA. —Pues una tía seguro que tiene que pasar más... ROSCO. —El culo da mucho de sí, pero hay que saber llevarlo. Me han contado de un tío que en plena aduana le entró la cagalera... ¡No veas! NENA. —¿Qué le pasó? ROSCO.—Se buscó la ruina. NENA. —Pues yo leí en el periódico de uno que le había reventado un condón. Se quedó allí mismo.» (Fermín Cabal, *Caballito del diablo*, 1981.) F. Umbral escribe por su parte: «...los *camellos* femeninos han llegado a llenar de droga un profiláctico preservativo y colocárselo en la vagina para pasar una aduana. El uso es o ha sido relativamente frecuente, y sólo cuando a una muchacha le reventó el plástico en el interior del cuerpo, originándole la muerte por la expansión de las drogas, se supo esto por el gran público.» (*Diccionario cheli*, Barcelona, Grijalbo, 2.ª ed., 1983, págs. 60-61.)

[43] *Costo*, «hachís» (DAE).

[44] *Doble cero*, «modalidad de hachís, muy rico y denso en aceite» D. A., Apéndice, pág. VII.).

varita, pues le sacas dos kilos, qué quieres que te diga, pero ya del malo, morralla.

ELENA. Sí. Yo de eso no sé; es mejor que te ocupes tú. Yo fumo y me gusta, pero no entiendo nunca ni lo que fumo. Como no me trago el humo...

CHUSA. No te preocupes, que está todo controlado.

ELENA. Yo, más que nada, es por ir. Bueno, también por sacar algo, porque luego, al venderlo aquí... ¿cuanto se saca?

CHUSA. Veinte veces lo que nos hemos gastado, si es un negocio. Y una aventura. Te metes allí, dos tías además, nos lo regalan todo. A mí me han regalado cosas muchas veces [45]. Dicen que tengo cara de mora. Como soy morena...

ELENA. A mí lo que más cosa me da es eso de metérnoslo en el culo. ¿Qué miedo no?

CHUSA. Qué va, tía. Si es que luego estás allí, y te entra un punto de tranquilidad y de paz que es que estás en la gloria. Y nada. La noche anterior a venirnos, nos hacen las bolas.

ELENA. ¿Y de cuántos gramos es cada bola? Yo no sé si...

CHUSA. Te tienes que procurar meter por lo menos cien gramos en la vagina, y otros cien o doscientos en el culo.

ELENA. ¡Ay, Dios! Yo es que estoy estreñida. Si se me queda dentro...

CHUSA. Mejor. Te tomas luego un laxante y lo echas todo.

ELENA. En el barco de vuelta, mareada y con eso dentro, me muero.

CHUSA. Qué aprensiva eres. Las bolitas son molestas

---

[45] Quizás estos regalos tengan algo que ver con algunos elementos del decorado (cfr. lo dicho en nota 1).

al principio, pero luego se suben para arriba y no notas nada.

ELENA.   Tú me tienes que ayudar, porque si no, no sé.

CHUSA.   A ver si te voy a tener que meter yo las bolas. Te las metes tú como buenamente puedas, con vaselina.

ELENA.   Habrá que llevar mucha vaselina entonces.

CHUSA.   Un kilo, no te digo. Eso con una gota hay más que de sobra. Si no duele nada. Mira, hay sólo un problema, qué quieres que te diga: si nos cogen. Es de lo único que te tienes que preocupar. Por eso en la frontera nos tenemos que poner monas, nos pintamos bien, tranquis, sonrientes, y ya está. Echándole morro a la vida, que si no te comen. Tú haces todo lo que yo haga. ¡Ah! Y luego muchísimo cuidado en el tren, que es donde cogen a los pardillos. Sacas un porro, se corre el asunto, y ya te has liado [46]. Otras doce horas en la batidora de la Renfe, y a casita.

(ELENA, *que lleva un rato intentando hacer una difícil confesión a* CHUSA, *por fin se atreve al ver que ésta ha llegado al final de su explicación.*)

ELENA.   Tengo que decirte una cosa. ¡Yo no puedo! En el culo a lo mejor... pero nada más. Chusa, soy virgen.

CHUSA.   ¿Que eres qué?

ELENA.   Virgen. Que nunca he... Nunca. Ni una vez.

CHUSA.   No me estarás hablando en serio.

ELENA.   Ha sido sin querer, de verdad. Yo no quería, bueno, quiero decir que sí que quería, pero es que

---

[46] En el texto de I, «liao». Además, se suprime la frase siguiente, pasándose directamente a la acotación.

los tíos son... Se lo dices y empiezan que si tal, que si cual. No se atreven. Ya sabes cómo son de cortados para todo. Se aprovechan de ti y luego nada.

CHUSA. Eso hay que arreglarlo enseguida. Se lo decimos esta noche a Alberto y ya está. No me hace gracia, no creas, pero qué le vamos a hacer. No vas a seguir así. ¿Te ha gustado antes, no? Pues mejor para ti.

ELENA. Me da vergüenza.

CHUSA. Venga, no seas tonta, que eso no es nada. No miramos.

ELENA. ¿Pero vais a estar aquí mientras?

CHUSA. Pues claro. ¿Qué pasa? ¿Te vamos a comer?

ELENA. Que me da vergüenza, de verdad.

CHUSA. Más vergüenza tenía que darte ser virgen en mil novecientos ochenta y cinco, y tan mayor. Debes quedar tú sola, guapa.

ELENA. Yo y mi madre. También es virgen, ¿sabes?

CHUSA. ¿Quién? ¿Tu madre? (ELENA *asiente con la cabeza.*) Sí claro. Y a ti te trajo la cigüeñita.

ELENA. De cesárea. Nací de cesárea. Y se quedó embarazada en una piscina[47] municipal, con el bañador puesto y todo, y eso que era de los antiguos. Bueno, eso dice ella.

CHUSA. ¿En una piscina? ¿En una piscina municipal? Sería al tirarse del trampolín. Habría uno debajo haciendo la plancha, y ¡zas!

ELENA. Es de verdad, no te lo tomes a broma. Yo

---

[47] Pese a que nos resulte una patraña, este espécimen casuístico mereció la atención de espíritus tan poco sospechosos de frivolidad como el de un Ramón Llull, el cual, en su tratado *De la levedad y ponderosidad de los elementos,* se plantea, entre otras, la cuestión siguiente: «¿Puede concebir una mujer en un baño donde un hombre haya derramado su semen?» (Cfr. C. J. Cela, *Enciclopedia del erotismo,* Barcelona, Destino, 2.ª ed., 1986, vol. IV, pág. 723.)

soy hija de mi madre y de un espermatozoide buceador.

CHUSA. Desde luego es que no te puedes fiar. Quién sería el animal que se puso allí a... ¡Hay que ser burro, y bestia, y...! ¡Ay, perdona, tú! No me había dado cuenta de que era tu padre.

ELENA. No, si como no le conozco me da lo mismo. A mí como si me dicen que soy una niña probeta. Paso de orígenes.

CHUSA. Pues mira, haces bien, qué quieres que te diga. Tampoco creas tú que mi padre era..., para ese padre casi mejor ser hija del Ayuntamiento como tú. Hoy día además no hay que escandalizarse por nada. Hace poco estuvo aquí durmiendo unos cuantos días uno [48] que hacía Biológicas, y estaba todo el día dándole a un libro de un tal Mendel, que hacía unas guarrerías con los guisantes para que tuvieran hijos que no te creas. Venían los dibujos y todo. Por dónde se tenía que meter el guisante, lo que hacía cuando estaba dentro y se hinchaba, se hinchaba... Todo, venía todo. Ya ves; más de uno tendría por padre a un guisante. Claro que se lo callan. No lo van a ir diciendo por ahí como haces tú.

ELENA. Yo no se lo digo a nadie tampoco. A ti porque te conozco, pero a nadie más. Como no conozco a nadie más.... Que no intimo yo con nadie, de verdad.

CHUSA. Oye, ¿tú eres un poco rara o me lo parece a mí? Claro, debe ser por lo de virgen. No te regirán bien las neuronas. Esta noche, Alberto te pasa al gremio de las normales, no te preocupes.

---

[48] ¿No sería este individuo el «mudo», al que se ha referido Jaimito al comienzo de esta escena?

ELENA. Y yo... ¿Qué tengo que hacer?

CHUSA. ¿Tampoco sabes eso? No te preocupes, que él te enseñará. El sí que sabe; ya lo verás. ¿Tomas la píldora?

ELENA. ¿Qué píldora? No. Como soy virgen...

CHUSA. Déjalo, no te esfuerces. Vamos a la farmacia a por algo, no te quedes embarazada a la primera de cambio y me toque encima cuidar del niño. Y menos de Alberto, guapa. No me gustaría nada, ¿sabes?

ELENA. Gracias, Chusa. Eres una tía.

CHUSA. Una madre es lo que soy. Es mi cruz, qué le vamos a hacer. Hala, vamos.

(Van a salir. Abren la puerta. CHUSA *regresa desde la puerta y apaga el transistor, que estaba sonando muy bajo.)*

ELENA. *(Desde la puerta.)* También así, maja, hacerlo la primera vez con un madero me da no sé qué. A ver si me va a pasar algo. Yo soy muy supersticiosa.

CHUSA. Alberto es un tío fetén[49]. Y lo hace todo bien: si lo sabré yo. Si te lo dejo es porque es de confianza. Y una vez nada más, ¿eh? No te vayas luego a acostumbrar. En la policía también hay tíos normales, como en todos los sitios. ¿Qué te crees, que muerden? Además, como se quitará el uniforme, ni te enteras.

ELENA. Me imagino. Lo que faltaba era que lo hiciera con el uniforme puesto. ¡Qué escalofrío!, ¿no?

(Salen las dos entre risas y cierran la puerta. Oscuro.)

---

[49] *fetén,* «bueno», «leal», «auténtico»; puede asimismo funcionar como adverbio. Es un gitanismo cuyo uso goza de gran solera en el habla castiza. «Pero me ha gustado ser fetén con las mujeres.» (L. Martín-Santos, *Tiempo de silencio,* Barcelona, Seix Barral, 11.ª ed., 1976, pág. 48.) «Yo he sido siempre un marido fiel. ¡Pero de los *fetén*!» (C. Arniches, *Las dichosas faldas,* 1931, cit. por M. Seco, *op. cit.* pág. 372.)

Han pasado varias horas. Son ahora las doce de la noche del mismo día. En escena, ALBERTO Y CHUSA *discuten acaloradamente. Humphrey, el hámster, les mira un tanto melancólico, dando vueltas a su rueda.*

ALBERTO. ¡Ah, yo no, ni hablar! A mí no me liéis.
CHUSA. Venga, tío, no seas estrecho ¿No te gusta?
ALBERTO. No es eso. Es que una virgen es un lío. Que lo haga Jaimito.
CHUSA. ¿Jaimito? Jaimito es un inútil para esas cosas. *(Le besa.)* Además a ella le gustas más tú. No es tonta, no creas.

(ALBERTO *pasea nervioso por la habitación, vestido como siempre con su nuevecito traje de policía.*)

ALBERTO. Pues no me da a mí la gana, ya ves. Estamos en un país libre últimamente, ¿no? De algo tiene que servir la democracia, digo yo. Que lo haga otro. Te bajas a la calle y coges al primer salido que pase y te lo subes. ¡Tiene que ser así, de golpe, ahora mismo porque me da la gana! ¿Pero tú que te crees que soy yo?
CHUSA. Que nos vamos dentro de nada al moro, te lo he dicho. Y no va a ir así la pobre.
ALBERTO. A mí no me metáis en vuestros líos. Yo de todo eso no quiero saber nada, ni si vais ni si dejáis de ir. Y de esto, tampoco. Somos amigos, pero cada uno su vida, y sus cosas. El que vivamos juntos no quiere decir...
CHUSA. Venga, quítate el uniforme, que va a subir y

si te ve así se corta. Y deja de decir chorradas, que últimamente metes cada rollo que no hay quien te aguante.

(CHUSA *trata ahora de irle quitando la ropa.*)

ALBERTO. *(Separándose de ella.)* ¡Quieta! Sin tocar, que tocando vale más dinero. No quiero y no quiero. ¡Cómo sois las tías! Os pensáis que estamos siempre dispuestos. ¡Hala, al catre! Y ya está. Y nosotros tan contentos. ¡Pero bueno!

CHUSA. Pues conmigo no le pones tantas pegas al asunto.

(ALBERTO *se pone tenso ante la alusión de* CHUSA *a sus relaciones.*)

ALBERTO. ¿A qué viene eso ahora? Es otra cosa, ¿no? A ella no la conozco de nada. Tú a veces dirás también que no, digo yo. ¿O es que te metes en la cama con todo el que te lo pide?

CHUSA. ¿Y a ti qué te importa con quién me meto yo en la cama?

ALBERTO. ¿A mí? Pero si no es eso. Yo lo digo por lo de esta tía. Que me quieres liar otra vez.

CHUSA. ¿Otra vez, verdad? Mira, vamos a dejarlo.

ALBERTO. Lo único que quería decir, es que tú no te acuestas con todo el que te lo pide, ¿verdad?

CHUSA. Si es así, un favor como éste... Contigo siempre he querido.

ALBERTO. ¿Y ha sido un favor?

CHUSA. No digo eso. Pues sí que nos entendemos hoy bien.

ALBERTO. Yo no necesito que nadie me haga favores de este tipo, ¿entiendes? Ni tampoco me gusta hacerlos. Era ya lo que faltaba.

CHUSA. Eres un estúpido, eso es lo que eres.

(Se oye llegar a ELENA *y a* JAIMITO *por las escaleras. Están abriendo la puerta de la calle.)*

CHUSA. Lo único que te digo es que puedes hacer lo que quieras, pero a mí no me vuelvas a hablar.

(Entran los otros dos, cargados de cervezas de litro, bolsas de patatas fritas, etc.)

JAIMITO. Ya está todo aquí. Lo que nos ha costado encontrar algo abierto. Todo preparado para la bacanal romana: patatas fritas eróticas marca «La Riva», foie-gras de cerdo salido «El gorrino de oro», Mahou a tutiplén, y aceitunas rellenas de afrodisiacos «La olivarera malagueña».

(Ha ido colocándolo todo encima de una mesa. Traen vasos de la cocina, abren las cervezas y empiezan a beber.)

ELENA. *(Coqueta.)* Hola, Alberto, ¿qué tal?
ALBERTO. *(Agresivo.)* Yo bien, ¿por qué?
ELENA. *(Más coqueta aún.)* No, por nada. Era sólo por saber cómo estabas, si estabas bien o no.
JAIMITO. *(Poniendo el casette.)* Un poco de musiquita para ir creando ambiente.

(Se escucha a Los Chunguitos [1] *en una rumba flamenca apropiada para el momento. Siguen comiendo y bebiendo.)*

ELENA. *(Acercándose a* CHUSA *le da con el codo y la habla por lo bajo.)* ¡Tiene el uniforme!

---

[1] *Los Chunguitos,* grupo músico-vocal, muy de moda en los ambientes juveniles de jarana y diversión; formado por tres cantantes, el conjunto interpreta temas de corte *pop* aflamencado, especialmente rumbas como las tituladas: «Sin ti no puedo estar», «Dame veneno», «Vive a tu manera», «Soy un perro callejero», «Me ha puesto los cuernos», «Paloma que pierde el vuelo», etc. El grupo comenzó su trayectoria discográfica hacia 1974.

CHUSA. *(Le contesta también por lo bajo.)* Ya se lo quitará. O se lo quita él o se lo quitamos nosotros, no te preocupes. Acércate a él, dile algo.

ELENA. *(Acercándose muy insinuante a* ALBERTO.) ¿Bailamos?

ALBERTO. No. Con el uniforme puesto no se puede bailar. Está prohibido.

ELENA. *(Con una risita.)* Pues quítatelo.

JAIMITO. ¿Qué calor, no? *(Se quita el jersey.)* Hace un calor aquí... ¿Tú no tienes calor? *(A* ALBERTO.) Quítate algo.

ALBERTO. Qué manía habéis cogido todos con que me quite la ropa. Quitárosla vosotros si queréis.

CHUSA. Por lo menos quítate la pistola, a ver si nos vas a dar a uno.

ALBERTO. *(Se la quita y la pone encima de su armario.)* Sin tocarla, ¿eh? Que da calambre. *(Risita de* ELENA.)

(JAIMITO sirve cerveza y sigue bebiendo. Luego se pasan unos canutos. La música rumbera va subiendo y el clima se va calentando. Suenan en esto unos golpes muy fuertes en una pared de la habitación.)

CHUSA. Ya está ahí el plasta ese incordiando.

JAIMITO. Pasar de él. Que tire la casa si quiere.

(Canta ahora JAIMITO *la música del casette y taconea al ritmo flamenco.)* [2]

---

[2] En la obra teatral de Alonso de Santos, comporta un elemento recursivo la música de ambiente popular; mas no se trata de un mero ingrediente accesorio, sino de un componente consustancial a la escena misma, ya que son siempre los propios personajes quienes cantan, portando entre las notas musicales retazos de sus almas, aflujo de sus vidas extraescénicas. Es el caso de la Abuela, en *La estanquera de Vallecas,* cuando emula a la Niña de la Puebla con «Los campanilleros»; como es también el caso del Director (del circo), en *La última pirueta,* con un famoso tango

«... Pues me he enamorao
y te quiero y te quiero,
y sólo deseo estar a tu lado,
soñar con tus ojos, besarte los labios,
sentirme en tus brazos,
que soy muy feliz.
Si me das a elegir,
entre tú y la gloria, pa que hable la historia de mí
por los siglos,
ay amor, me quedo contigo...»

> *(Se oye ahora una voz desde el otro lado del tabique,
> hablando a gritos.)*

OFF.   ¡Tengo que dormir! ¡Bajen la música!

ELENA.   Si sólo son las doce. ¿Quién es? ¿Por qué se
pone así?

JAIMITO.   Siempre está igual.

CHUSA.   Madruga el hombre, y claro...

JAIMITO.   Pues que no madruge. *(Sigue con Los Chunguitos.)*
«Si me das a elegir,
entre tú y ese cielo,
donde libre es el vuelo,
para ir a otros nidos,
ay amor, me quedo contigo.
Si me das a elegir,
entre tú y mis ideas,
que yo sin ellas,
soy un hombre perdido,
ay amor, me quedo contigo.
Pues me he enamorao,

---

gardeliano, transido de nostalgias amatorias... Los compases que aquí
entona Jaimito corresponden al tema titulado «Me quedo contigo» (1980),
con letra de C. Ramos Prada y música de E. Salazar.

y te quiero y te quiero,
y sólo deseo estar a tu lado...»

(Canta ahora JAIMITO *directamente a* ELENA, *que le sonríe encantada.)*

«Soñar con tus ojos,
besarte los labios,
sentirme en tus brazos
que soy muy feliz...»

ALBERTO. *(Metiéndose en medio, un poco molesto de haber pasado a segundo plano.)* Es un cura. Dice misa en las monjitas, ¿verdad? A las cinco de la mañana. Y el hombre no pega ojo.

CHUSA. Me ha dicho la portera, que es muy maja, que el otro día se fue a quejar, y ella le dijo que en esta casa había libertad religiosa, y que lo que tenía que hacer era trabajar en algo decente, como Dios manda, y no andar con las monjas por ahí a esas horas. *(Risas de los tres.)*

*(*JAIMITO *sigue intentando canturrearle a* ELENA, *pero* ALBERTO *está delante, descaradamente, y le sigue dando su explicación.)*

ALBERTO. Que diga la misa por la tarde. Ahora ya dejan. O por la noche. Se tendría que perder la película de la tele, claro. Todo el día con la tele puesta, y nos tenemos que aguantar. Y luego nosotros ponemos la música, y jaleo.

JAIMITO. El otro día me lo encuentro en la escalera y empieza a decir gilipolleces. Le dije que se mudara, y me dice el prenda que el que se tenía que mudar era yo, que huelo mal[3]. No te jode. Están fastidia-

_____
[3] Chistes de este jaez, de cuño conceptista (debido en este caso al doble régimen del verbo mudarse: reflexivo directo, o indirecto), gozan de gran

dos porque están todos ahora medio en el paro. Se
les está acabando el chollo. Alguna misa en las
monjitas, y vale. Así está, medio ido.

CHUSA. Eso es de no dormir.

JAIMITO. Pues que duerma, hombre. *(A gritos hacia
la pared.)* ¡Que se eche la siesta!

«Pues me he enamorao,
y te quiero y te quiero,
y sólo deseo, estar a tu lado...»

> *(Canta ahora* JAIMITO *mucho más alto. Se vuelven a
> oír, más altos también, los golpes en la pared. Y de
> pronto traspasa el tabique el palo de una escoba.)*

JAIMITO. *(Parando el casette.)* ¡Huy, la hostia[4]! ¡Que
nos tira la casa!

> *(Agarra el palo y tira. El otro tira desde el otro lado.
> Finalmente el otro suelta y* JAIMITO *se cae del tirón
> quedándose con el palo.)*

---

solera en el hacer humorístico español (ya sea oral o escrito), siendo
principalmente los sainetes (incluidas las piezas del género chico) su
terreno más fértil y abonado.

[4] Es ésta una de las voces comodín que jalonan la expresión inter-
jectiva en nuestra lengua, dentro del registro coloquial. Tal vez pueda
explicarse el uso tan frecuente del vocablo por la expresividad de su
combinatoria fonemática, así como por su connotación de «elemento
sagrado», lo que presta el acento irreverente que motiva su empleo. Hasta
época reciente, pesa sobre palabras de este tipo el rigor del tabú, que
impide su presencia en nuestras letras. He aquí, sin embargo, algunas
excepciones: «El *Pituso* abría una boca descomunal y daba unos bostezos
que eran la medida aproximada de su gana de comer. (...) —¡Patata!
—gritó con el ardor famélico. / —¿Qué patatas, hombre? Mazapán, sopa de
almendra... / —¡Patata, hostia! —repitió él pataleando.» (Perez Galdós,
Fortunata y Jacinta (1886-87), parte primera, cap. X.) «—*Na* —añadió Vidal
(...), dirigiéndose a Manuel—; tú has de venir con nosotros; formaremos
una cuadrilla. (...) —Bueno, ya veré —dijo Manuel de mala gana. —¿Qué
ya veré ni qué hostia? Ya está formada la cuadrilla.» (Pío Baroja, *La busca*,
1904, parte tercera, cap. 1.)

CHUSA. *(Se acerca al agujero y mira por él.)* A ver...

JAIMITO. ¿Qué ves?

CHUSA. *(Mirando.)* Un ojo. *(Habla a voces por el agujero.)* ¡Qué pasa! ¡Que ha roto la pared! ¡A ver ahora, qué va a pasar! *(Se oyen gritos al otro lado.)* Dice que va a llamar a la policía. Encima. *(A gritos otra vez.)* ¡A quien tiene que llamar es a un albañil, a que arregle esto! ¡Y a un psiquiatra, tío loco!

ALBERTO. Esperar, que voy. *(Se ajusta la pistola y la gorra y va hacia la puerta. Echa una mirada a* ELENA *y ésta le amaga una despedida con la mano, como si se fuese a la guerra. Sale.)*

JAIMITO. Cuando abra y le vea se caga.

(Se oye sonar el timbre de la otra casa.)

ELENA. Pensará que ha llegado volando; nada más descolgar el teléfono y...

CHUSA. A ver si da más golpes ahora.

(Vuelve a mirar por el agujero y va contando a los otros dos lo que ve pasar en la casa de al lado.)

Ya va a abrir. Ahora no se le ve... Ya, ya... Vuelve. Está blanco. Ahora mira el agujero, coge un tapón de una botella, se acerca, lo pone y... fin. *(Retirándose.)*

ALBERTO. *(Entrando triunfal.)* Mañana viene el albañil. Ya de paso que nos arregle la cocina. *(Se ríen todos.)*

CHUSA. *(A* ELENA.) ¿Has visto lo bien que viene tener la bofia[5] en casa?

---

[5] *bofia,* uno de los muchos términos que, en argot delincuente, designan a la policía. «—Tú no te metas donde no te llaman, listo. ¿Qué tienes

(ALBERTO *mira a* ELENA. *Está ahora en plan héroe de película. Y le sale el ramalazo conquistador. Por otro lado,* ELENA *cada vez le gusta más, sobre todo desde que intentó acercarse a ella* JAIMITO. *Esta se acerca a él y le pone orgullosa la mano en el brazo. Se miran.)*

CHUSA. Si queréis podéis meteros en el cuarto. No sea que ése quite el tapón y le dé algo.

ELENA. Bueno, lo que tú digas.

ALBERTO. Al fin y al cabo la policía está al servicio del ciudadano, y esto es un servicio público. *(Van hacia la habitación. Se vuelve desde la puerta.)* ¡Qué liantes sois! ¡Sí, los dos! No bajéis la música. Altita. *(Se quita la gorra y la tira al aire muy chulo, en brindis torero.)* Allá va, y que sea lo que Dios quiera. Va por vosotros.

ELENA. Bueno, adiós.

(Al desaparecer los dos dentro del cuarto y cerrar la puerta, JAIMITO *y* CHUSA *se quedan con la mirada perdida en el vacío. Lo que era un juego se ha convertido en soledad.)*

JAIMITO. Qué suerte tiene el tío para todo. Y encima se queja. Es maja, ¿verdad?

CHUSA. Creí que no te gustaba.

JAIMITO. ¿A mí? Sólo digo que es muy guapa, y que está muy buena. Encima se meten ahí los dos...

CHUSA. A ver. Si se mete uno solo la cosa es más difícil.

JAIMITO. Yo creí que tú y Alberto..., vamos, que tú y él...

---

tú que decirle al Chancai, ¿eh? Tú ya no eres nadie, no estas en la bofia. Así que no la líes más y ábrete.» (Juan Madrid, *Regalo de la casa,* Madrid, Júcar, 1986, pág. 145.)

CHUSA.   ¿Quieres dejarlo ya?

(CHUSA *se pasea nerviosa por la habitación, y trata de distraerse haciendo algo. Coloca la mesa, mueve las sillas de sitio, y hace dos o tres cosas raras más. Va a la ventana y se queda mirando al infinito.*)

CHUSA.   (*Tratando de convencerse a sí misma ante la creciente angustia que le está entrando de pronto.*) Esto no tiene importancia. Es una amiga. A ver si vamos a ponernos nosotros antiguos con esta bobada.

JAIMITO.   (*Baja el casette.*) No se oye nada... ¿Qué estarán haciendo?

CHUSA.   Crucigramas.

(*Llega hasta el casette y lo sube otra vez. Va al baño.*)

Hay que llamar al fontanero para que arregle de una maldita vez esa cisterna, que se sale. Me da la noche con ese ruidito. (*Pausa.*)

(*Llaman en esto a la puerta de la calle. Va* JAIMITO *a abrir. Lo hace, y entra* DOÑA ANTONIA, *medio llorando, con un gran disgusto encima.*)

DOÑA ANTONIA.   ¡Ay, Dios mío, Dios, mío! ¿Está mi hijo aquí...?

CHUSA.   (*Intentando ocultarle.*) No..., me parece que no ha venido. ¿Ha venido? (*A* JAIMITO.)

JAIMITO.   Yo desde luego no le he visto. ¿Qué ha pasado? ¿Se encuentra usted mal? Siéntese, mujer. Y cálmese.

DOÑA ANTONIA.   ¡Ay, Dios mío, Dios mío qué desgracia tan grande!

CHUSA.   (*A* JAIMITO.) Traéle agua, o algo...

DOÑA ANTONIA.   (*Ve la gorra de* ALBERTO.) ¿Y esto? ¡Está aquí! ¿Dónde está? ¡Alberto, hijo...! ¡Hijo...!

(Se miran Jaimito *y* Chusa. *Como la cosa parece seria deciden llamarle.)*

Jaimito.　*(Llamando a la puerta del cuarto.)* ¡Alberto! Oye, sal. ¡Sal un momento, anda. Es tu madre!

(Se abre la puerta del cuarto y aparece Alberto *a medio vestir. Se acerca a su madre que sigue ahogada del disgusto en una butaca. Todos alrededor.)*

Alberto.　Madre, ¿qué pasa?

Doña Antonia.　¡Ay, qué disgusto, hijo mío de mi alma! ¡Dios mío, Dios mío!

Alberto.　¿Pero qué pasa, madre? ¿Quiere hablar de una vez? ¿Qué pasa?

Doña Antonia.　¡Tu padre, hijo, tu padre! ¡Que ha salido de la cárcel!

(Cara estupefacta de todos ante la noticia. Y oscuro.)

Escena tercera

Al día siguiente, mediodía. Elena *está leyendo.* Jaimito *viene de la cocina con una lata abierta comiendo. Se le acerca.*

Jaimito.   ¿Quieres?

Elena.   No, gracias. Ya he comido.

Jaimito.   *(Se sienta a su lado. Sigue comiendo.)* Vaya lío ayer, ¿eh? ¿Has visto hoy a Alberto?

Elena.   No, no ha venido. *(Sigue leyendo.)*

Jaimito.   Vaya corte que te llevarías, llegar ahí la madre, en ese momento... *(Pausa, silencio. Sigue comiendo y ella leyendo.)* Y luego el jaleo ese de su padre. Le habían echado un montón de años, y de pronto a la calle. Ahora es muy difícil que te dejen estar en la cárcel. Hay que estar muy recomendado. Un amigo mío que está allí metido, come en casa, y luego duerme allí. Cuando no puede ir algún día llama por teléfono. *(Ve que sus intentos de ser gracioso no van por buen camino, y cambia de estrategia.)* Vete tú a saber..., las cosas que pasan... Oye, así que tú sigues igual. Qué mala suerte.

Elena.   ¿De qué?

Jaimito.   De lo de virgen.

Elena.   Ah, no importa. Otro día.

*(*Jaimito *se quiere ofrecer, pero no sabe por dónde empezar. Está violento, tartamudea. Se levanta y se sienta varias veces. Va al lavabo, y se peina.)*

Jaimito.   Sí que es una lata eso de ser virgen. Yo que tú, en la primera ocasión que se me presentara... Estamos solos.

ELENA.   *(Distraída con la lectura.)* Sí, Chusa dijo que
vendría luego.

JAIMITO.   *(Se acerca. Mira el libro que ella lee.)* «Apocalípticos e Integrados...»[1]. ¿Es buena?

ELENA.   Es de Umberto Eco. Está muy bien. Es un
ensayo sobre nuestra civilización actual. La crítica
literaria, el consumo..., esas cosas.

JAIMITO.   Tú has estudiado, ¿no?

ELENA.   Sí. Ciencias de la Educación, lo que antes era
Filosofía y Letras. Sólo he hecho hasta tercero.
Bueno, tengo alguna de segundo. Este año es que
no he aparecido por la Facultad. Es un rollo, no
aprendes nada. Yo leo y estudio más por mi cuenta.
Y con apuntes que me dejan los que van. Luego me
examino, y lo voy sacando. Aprendes más. Los
profesores no enseñan nada[2].

JAIMITO.   ¿Y cómo te puedes examinar si te escapas
de casa?

ELENA.   Para los exámenes vuelvo.

JAIMITO.   ¡Ah!

---

[1] Se trata, claro está, de la obra ensayística *Apocalípticos e integrados ante
la cultura de masas* (Milán, Casa Editorial Valentino Bompiani, 1965), del
semiólogo italiano Umberto Eco (nacido en Alessandria, Piamonte,
en 1932), autor asimismo de obras tan fundamentales como *Obra abierta*
(1962), *La estructura ausente* (1968), *Tratado de semiótica general* (1976) o
Lector in fabula (1979), sin olvidar la célebre novela *El nombre de la rosa*
(1980). El valor intertextual de *Apocalípticos...* es en *Bajarse al moro*
relevante (como queda señalado en la Introducción).

[2] Obsérvese la sarta de simplezas y tópicos de Elena, que en modo
alguno le hacen acreedora de entender el ensayo en cuestión. «La fabrica-
ción de libros se ha convertido en un hecho industrial, sometido a todas las
reglas de producción y de consumo. De ahí derivan una serie de fenóme-
nos negativos, como la producción por encargo, el consumo provocado
artificialmente, el mercado sostenido con creación publicitaria de valores
ficticios. Pero la industria editorial se distingue de la de dentífricos en lo
siguiente: se insertan en ella hombres de cultura, para los que la finalidad
primera (...) no es la producción de un libro para la venta, sino la
producción de valores para la difusión de los cuales es el libro el instru-
mento más idóneo.» (*Apocalípticos...,* cit., pág. 59.)

ELENA. ¿Y tú, no estudias nada?

JAIMITO. ¿Yo? Yo no. Yo soy un ignorante, de verdad. No leo nada... La verdad es que para vender costo y hacer sandalias... A mí lo que me gusta mucho es el cine.

ELENA. La cultura nunca viene mal. Además, es por distraerse. ¿Novelas tampoco lees?

JAIMITO. Novelas tampoco. Algunas de pequeño, pero ahora... Revistas si acaso. Bueno, alguna vez leo algo, pero poco.

ELENA. Claro. Será también por lo del ojo.

JAIMITO. ¿El ojo? Qué va. Yo veo igual que tú o que cualquiera. Ver, veo muy bien. Sólo de un lado, pero perfectamente.

ELENA. *(Tapándose un ojo.)* Pues yo si miro con un ojo sólo, veo mal.

JAIMITO. Tú porque no estás acostumbrada.

(Pausa. Ella vuelve a su lectura. De vez en cuando prueba tapándose un ojo. Él, a su alrededor, no sabe por dónde entrarle.)

¿Te vienes al cine?

ELENA. ¿Al cine? ¿Al cine a esta hora? ¿A qué cine, qué ponen?

JAIMITO. No sé, es igual. A cualquiera. Es por salir un rato. Nos tomamos unas cervezas y luego nos vemos una que esté bien. Compramos la Guía del Ocio.

ELENA. No, de verdad. Gracias, pero no. Estoy enrollada con esto. Díselo a Chusa cuando venga, y vete con ella.

JAIMITO. *(Atreviéndose.)* Es que yo quiero ir contigo.

ELENA. *(Sin enterarse de nada.)* ¿Conmigo? ¿Por qué?

JAIMITO. No sé, me apetece. Yo soy un tío muy raro.

Me dan bascas[3], así, de pronto. Hay momentos en que una persona me gusta, ¿no?, y entonces, pues al cine.

(Ella sigue leyendo, siguiéndole con automáticos movimientos de cabeza.)

Una vez me enrollé yo con una chica, una vecina mía, cuando vivía en el Puente de Vallecas, antes de venirme aquí a Lavapiés[4]. Trabajaba ella en Simago[5], allí en la Avenida de la Albufera[6]. Era muy maja. Alta, con el pelo largo..., muy maja. Yo la iba a buscar a la salida del trabajo. Nos juntábamos allí un montón de tíos todos los días. Parecía la mili. Esperando, allí, a la salida, todos tan serios. Luego ya salían ellas, y hala, cogía yo a la Merche y nos íbamos al cine. Todos los días al cine. Sin faltar uno. Al cine. Estuvimos un año y pico saliendo y nos vimos todos los programas dobles de Madrid. Nos conocían hasta los acomodadores. Luego ya lo

---

[3] *bascas,* vale aquí «antojos», acepción que se acerca a una de las registradas por el DRAE para este vocablo: «arrechucho o ímpetu muy precipitado».

[4] Calle y plaza adoptan este nombre en uno de los parajes más castizos del viejo Madrid, no lejos del Rastro, crisol y corazón barriobajero, santuario de la manolería (debido al remoquete, al parecer, a que eran de costumbre bautizados, con nombre de Manuel o de Manuela, los hijos primogénitos de judíos conversos, gentes que en Lavapiés sentaron su refugio y residencia). Débese el nombre, según Pedro de Répide, a una fuente ablutoria en que la población mora y hebrea mundificaba sus pies, lo cual Moratín (padre) entiende de igual modo cuando dice: «Vinieron con semblantes pudibundos / los que habitan el Austro, donde lavan / los pies el agua de árboles profundos.»

[5] Empresa comercial, fundada en febrero del 60, con domicilio social en Madrid. Está integrada fundamentalmente por grandes almacenes populares.

[6] Extensa vía comprendida entre el Puente de Vallecas (en la confluencia de la avda. de La Paz con el final de la avda. Ciudad de Barcelona) y la P/ de Sierra Gador (en pleno barrio de Vallecas). Debe su nombre a que, antiguamente, era el arranque de la carretera de Valencia.

dejamos. Bueno, la verdad es que fue ella la que lo dejó. Se largó con un rockero, de los de las discotecas y chaqueta de cuero. Un fantasma de ésos. La vi después, al año o así. Una noche. Iba con el tío ese y unos cuantos más. Me dijo que estaba harta de ir al cine. A gritos, desde la otra acera de la calle: «¡Estoy harta de cine!» Al año y pico, fíjate. Era de noche, me acuerdo muy bien. Me lo podía haber dicho entonces, cuando salíamos. Yo iba porque creía que a ella le gustaba. A mí, tanto cine, la verdad... *(Se da cuenta de que ella hace rato que no le escucha.)*
Bueno, te dejo estudiar. Ya me iba. Daré una vuelta por ahí...*(Llega hasta la puerta.)* Hasta luego. ¿Sabes una cosa, Elena? ¡Elena!

ELENA. *(Dejando el libro.)* ¿Sí, qué?

JAIMITO. Que estás hoy muy guapa. Muy guapa, de verdad.

ELENA. Anda, guasón, que eres un guasón.

(Ella vuelve a su libro. Él abre la puerta y va a salir. En ese momento llega corriendo por las escaleras ALBERTO. Entra como un vendaval.)

ALBERTO. ¿Está Elena? *(Entra, la ve, se acerca y le da un beso. Ella deja el libro automáticamente. JAIMITO lo mira todo desde la puerta.)*
Oye, me he escapado un momento. Tengo que volver rápido a la comisaría. *(Coge la porra que está encima de su armario.)*
Otra vez me la he dejado aquí. Cualquier día tengo un lío por esto. *(Se la pone.)* Menudo jaleo con mi padre, chica. Está rarísimo. Serio, formal... Estuvo una hora anoche preguntándome por todo. Yo no sé qué decirle. Menudo mogollón. Bueno, que a la

noche vengo. Me tengo que ir a comer con él, no tengo más remedio. Hasta luego, adiós.

(Sale otra vez como un torbellino. Vuelve y habla a ELENA *desde la puerta, al lado de* JAIMITO *que sigue allí clavado.)*

Luego seguimos donde lo dejamos anoche, ¿eh? *(Le tira un beso.)* Tú *(A* JAIMITO.*)* Guárdamela bien hasta que vuelva. *(Le amenaza jugando con la pistola en la funda, le da los puñetazos cariñosos de siempre en el hombro y sale. Ella queda encantada mirando hacia la puerta.* JAIMITO *sigue allí, violento, sin saber si irse o quedarse.)*

JAIMITO.   ¿Cómo es, eh? Bueno, yo también me iba. Luego vuelvo para la fiesta. No me la quiero perder. Adiós. ¡Que adiós!

ELENA.   Adiós.

(Sale JAIMITO. *Ella suspira, los ojos perdidos a lo lejos. Y vuelve a su libro. Oscuro.)*

Noche del mismo día. En escena, CHUSA *cortándose las uñas, de muy mal humor. Se abre la puerta de la calle y entra* JAIMITO *cargado de nuevo con cervezas de litro, ginebra, patatas fritas, etc.*

JAIMITO.   Ya estoy aquí. ¿Qué? ¿He tardado mucho?

CHUSA.   Dos horas. Te lo puedes volver a llevar por donde lo has traído todo, si quieres. Aquí ya no hace falta.

JAIMITO.   ¿Dónde están? ¿Se han ido?

CHUSA.   *(De mala uva.)* Ahí. *(Señala con la cabeza el cuarto.)*

JAIMITO.   *(Se queda un momento en silencio, mirando la puerta cerrada.)* ¡Joder! ¡También! Encima de que voy a por... ¿Y qué hacen?

CHUSA.   ¿Tú qué crees?

JAIMITO.   *(Sigue mirando descorazonado a la puerta.)* ¿Hace mucho que...?

CHUSA.   Un rato.

JAIMITO.   No se oye nada.

CHUSA.   No. *(Se quedan los dos en silencio. Sólo se oye el cortaúñas con el que* CHUSA *sigue cortándose las uñas, ahora de los pies, haciéndose todo el daño que puede.)* No corta. Seguro que lo[1] has estado usando con las sandalias.

JAIMITO.   ¿Antes tampoco se ha oído nada?

CHUSA.   No, antes tampoco se ha oído nada.

JAIMITO.   Haberles dicho que esperaran, ¿no?

CHUSA.   Se lo he dicho.

JAIMITO.   ¿Y qué?

---

[1] En el texto de I, «los».

CHUSA.   Ya lo ves.

JAIMITO.   *(Acercándose más a la puerta, intentando escuchar.)* ¿Y no has oído nada, nada, nada?

CHUSA.   Te crees que lo radian o qué. *(Se fija en que sigue con todo en sus brazos como un pasmarote. Le coge las bolsas y las pone sobre la mesa.)* Ginebra y todo.

JAIMITO.   Era para animar esto un poco.

CHUSA.   No les ha hecho falta. Se la beberá su madre cuando venga.

JAIMITO.   *(Reaccionando.)* Ese Alberto es que es un cabronazo. Me tiene ya hasta la... Se mete ahí, con ella, y ¡hala! Ni cerveza, ni ginebra, ni nada. *(Gritando.)* ¿Para eso he traído yo las patatas fritas?

CHUSA.   No grites.

JAIMITO.   A mí, como un gilipollas, me manda a por patatas fritas. Y a ti, que eres su novia, te pone aquí de guardia.

CHUSA.   No soy su novia, y no estoy de guardia.

JAIMITO.   ¿Se ha quitado el uniforme?

CHUSA.   Ha entrado con él, pero supongo que se lo habrá quitado.

JAIMITO.   *(Merodea alrededor de la puerta, intentando adivinar cómo va lo de dentro.)* No se lo quita ni para mear. Decía que no se iba a acostumbrar a llevarlo, ¿te acuerdas? Fíjate ahora. Todo el día de madero.

(Sigue al lado de la puerta. Parece que va a llamar.)

CHUSA.   ¿Te quieres quitar de ahí y dejarlos en paz?

JAIMITO.   ¡Que no me da la gana! ¿Qué pasa, eh? Se mete ahí el tío que te gusta con otra chorva[2] y tú aquí, tan tranquilamente. Es que eres, tía, como la sábana de abajo. ¡Qué pachorra, y qué...!

---

[2] *chorvo, a* (escrito también con «b»), voz de origen calé, «niño/a», «hombre o mujer, en general» (D. A.), «novio o acompañante habitual» (DAE).

CHUSA. ¿Quieres que me ponga a llorar o que llame a los bomberos? Además, ayer se lo pedimos nosotros, ¿no?

JAIMITO. Ayer era ayer, y hoy es hoy. Estábamos los cuatro... era otra cosa. ¡Así no me da la gana!

CHUSA. Tú no tienes nada que ver en esto, ni yo tampoco. No sé cómo no te das cuenta.

(Coge un jersey grandón de su armario, se lo pone y va hacia la puerta de la calle.)

JAIMITO. ¿A dónde vas?

CHUSA. Por ahí, a dar una vuelta hasta que acabe el numerito. *(Dolida.)* No me importa nada, ¿sabes?, pero no me apetece estar aquí de guardia, como tú dices.

JAIMITO. Es un mariconazo. Siempre hace lo que le da la gana, y cuando le da la gana.

CHUSA. Pues ella tampoco es manca. Ha sido la que menos ha querido esperar, qué te crees. *(Mira hacia la puerta.)* Al fin y al cabo fue idea mía. Prepárales la cerveza y las patatas fritas para cuando salgan que tomen algo. Estarán cansados.

(Llaman a la puerta de la calle. Se miran.)

JAIMITO. Abre, a ver si hay suerte y es otra vez su madre, y se les jode el plan.

(Al abrir CHUSA, vemos en el descansillo a dos chicos jóvenes, el pelo muy corto, buena ropa, y evidentemente de clase social alta.)

ABEL. *(Desde fuera.)* Venimos de parte de Sebas *(Cara de CHUSA de no saber quién es.)*, el camarero del Pub Valentín, que os conoce; uno alto, con bigote...

CHUSA. No sé quién es. *(A JAIMITO.)* ¿Tú sabes quién es? ¿Lo conoces?

JAIMITO.   De vista. Es amigo de Ricardo, me parece.

(Entran, ABEL delante, y detrás el otro, NANCHO, con pinta muy nerviosa y algo extraño en la cara.)

ABEL.   Nos ha dicho que vosotros a lo mejor teníais algo para vendernos.

JAIMITO.   No nos queda casi nada. *(A CHUSA.)* ¿Verdad?

ABEL.   Lo que sea..., unos gramos... Lo necesitamos, aunque sólo sea para un pico.

CHUSA.   De eso no tenemos, tú. No tenemos nada.

ABEL.   *(A JAIMITO.)* Has dicho antes que tenías un poco. Pues lo que sea, ya. No jodas ahora. A ver si te vas a volver atrás.

JAIMITO.   Oye, no, te he dicho que teníamos un poco, pero de chocolate, nada más. Nosotros a eso no le damos.

ABEL.   ¿Chocolate? Vamos, no jodas. *(Al otro, que está con el mono cada vez más nervioso.)* Este se cree que somos gilipollas. ¡Saca la navaja, mecagüen su puta madre!

(Saca de pronto NANCHO una navaja y amenaza, nerviosísimo, a JAIMITO y CHUSA, que retroceden asustados.)

ABEL.   ¡Venga! ¡Tráelo aquí ahora mismo, todo lo que tengáis! Si no *(A NANCHO.)* le metes un navajazo a ese muerto de hambre de mierda. *(Se oyen en este momento ruidos y jadeos en la habitación. ABEL retrocede asustado al oírlo. Coge luego de un rincón una especie de barra de hierro que se encuentra. Va hacia JAIMITO, hablando a NANCHO.)* ¡Coge a ésa, que no grite! (NANCHO *lo hace, poniendo amenazador el cuchillo en el cuello de* CHUSA, *tapándole la boca con la otra mano.*

ABEL *amenaza con el hierro a* JAIMITO.) ¡Di al que esté ahí que salga! ¡Con cuidado! ¡Vamos!

JAIMITO. *(Golpeando la puerta, tratando de aparentar normalidad, quedando muy falso en su intento.)* ¿Alberto? ¿Estás ahí? Oye, Alberto, a ver si puedes salir un momento. Sal si puedes. No pasa nada, pero sal. *(Se oye la voz de* ALBERTO *dentro refunfuñando, y las risas de* ELENA. NANCHO *acerca más el cuchillo a la garganta de* CHUSA.) ¡Alberto! *(Golpea ahora más fuerte.)* ¡Sal, joder! ¡Sal de una vez! *(Se oye dentro a* ALBERTO *protestar, y ruidos confusos.)*

ALBERTO. *(Apareciendo en calzoncillos por detrás de la puerta.)* A ver qué coño pasa ahora...

*(*ABEL *llega hasta él, con la barra en alto, y le empuja contra la pared.)*

ABEL. ¡Quieto ahí! *(Da una patada a la puerta abriéndola del todo. Al fondo vemos a* ELENA, *paralizada y desnuda. Reacciona tapándose con lo primero que pilla.)* Estaban chingando[3], no te jode. ¡Sal, sal para fuera, no te quedes ahí, que te queremos ver bien!

(Sale ELENA *despacio, aterrada.* ALBERTO *trata de meterse, avanzando.)*

ALBERTO. ¿Qué pasa? ¿A qué viene esto...?
ABEL. *(Empujándole otra vez contra la pared, mucho más fuerte ahora, y levantando la barra sobre su cabeza.)* ¡Que te estés quieto, mierda! *(A* ELENA.) ¡Venga, aquí! ¡Y no te tapes tanto,

---

[3] *chingar,* «fornicar» (voz muy usada en México, aunque en la acepción de «fastidiar», «molestar»). «Él fue el que la chingó. En mis barbas.» (Luis Martín-Santos, *Tiempo de silencio,* Barcelona, Seix y Barral, 1962, segmento XLI). Es voz de origen caló, ya recogida por R. Salillas *(El lenguaje,* 1896) y L. Besses *(Diccionario de argot español o lenguaje jergal gitano, delincuente profesional y popular,* 1906).

suelta eso! ¿Te da vergüenza? ¡Que lo sueltes, que te doy...! *(A* NANCHO, *que está mirándola fijamente mientras sigue sujetando a* CHUSA.) ¿Está buena, eh? ¿Te la quieres tirar? ¡Vosotros quietos!

(ALBERTO *mira a* JAIMITO *desconcertado, y éste trata de ganar tiempo y bajar un poco el clima de violencia.)*

JAIMITO.   Han venido a por caballo[4] de parte del Sebas... un amigo; pero ya les hemos dicho que no teníamos... y se han puesto, fíjate. *(A* NANCHO.) ¡Suéltela, que no va a hacer nada!, ¿verdad, Chusa? Cuidado con la navaja... Vamos a hablar... lo que sea... pero suéltala. (ABEL *ha cogido la punta del vestido con que se medio tapa* ELENA *poniéndoselo delante, y tira, mientras ella trata de retroceder sin soltar la prenda.)*

ALBERTO.   Oye... que le vas a hacer daño a la chica... Nos sentamos y hablamos tranquis, tíos, entre colegas, ¿no? Nos lo hacemos bien... sin jaleos...lo que queráis.

JAIMITO.   ¡Pero suelta...! ¡Suéltala! ¡Que la sueltes!

(Se pone en medio. ABEL *amaga con la barra y* JAIMITO *retrocede.)*

ABEL.   *(A* JAIMITO.) ¡Te parto la cabeza como te metas otra vez! *(A* ELENA.) ¡Que te doy a ti, gilipollas! Estabas chingando, ¿eh?

(Da un fuerte tirón y se queda con la ropa en la mano. Ella se refugia desnuda detrás de ALBERTO.)

ALBERTO.   *(Cubriéndola, trata de ganar tiempo, y poder*

---

[4] *caballo*, «heroína». «CELES. —¿Dónde lo tienes? Estoy hablando en serio... ¿Dónde tienes el caballo? *(La agarra de mala manera).*» (Fermín Cabal, *Caballito del diablo,* cit.)

hacer algo.) Bueno, bueno, ¿qué pasa? Que queréis caballo. Es eso sólo. ¿Si os lo damos nos dejáis en paz? *(A* JAIMITO.) Pues dales el caballo de una vez. ¿A que lo necesitáis? Pues ya está. Yo os lo traigo si queréis, que sé dónde está, pero sin hacer nada a nadie. No armar lío por estas cosas. Si necesitáis caballo...

ABEL. *(A* JAIMITO, *amenazador.)* ¿No teníais, eh? ¡Te voy a partir a ti...!

JAIMITO. ¡Pero suéltala! ¡Que la sueltes, que la vas a ahogar! (JAIMITO *retrocede asustado ante el amago de* ABEL. *A una señal de* ABEL, NANCHO *destapa la boca a* CHUSA. JAIMITO *ahora intenta seguir con el plan de* ALBERTO.) Casi la ahogas. Es que tenemos poco, y no os conocíamos. Luego, si os ponéis así, a lo bestia... Dáselo, Alberto...

ALBERTO. A ver, que preparen el dinero.

ABEL. Ahora gratis, ¿está claro? Y sin cachondeos. ¡Todo lo que tengáis, sácalo! Si no nos tiramos a ésta, y a ti también...

JAIMITO. A ti te ha entrado el mono violador hoy. No te lo montes así, tío, de verdad, que así no vas a ningún lado.

ALBERTO. Si quieres pincharte, te pinchas y ya está. Te chutas bien y tranquilo.

JAIMITO. Y si luego quieres follar, pues follamos, y no pasa nada, pero por las buenas, ¿verdad, Chusa?

ALBERTO. Anda, guarda la navaja esa, y vamos a hablar...

ABEL. Lo primero la harina[5]. Venga, traedlo aquí, todo.

---

[5] *harina.* Creemos, sin embargo, que, o bien Abel se refiera realmente al polvo de heroína (cosa que le han prometido), o bien haga alusión en tono despectivo a la droga ofrecida.

ALBERTO. Está ahí dentro. Un momento, que lo saco. (*Va al cuarto.*)

ABEL. ¡Quieto! Que lo traiga este gilipollas. Venga, y cuidado.

JAIMITO. (*Va hacia el cuarto y mira a* ALBERTO *sin saber bien qué hacer. Finalmente decide seguir adelante como sea con lo que cree que pensaba hacer él.*) Bueno, pues voy yo, pero no te enrolles mal[6]. (*Trata de hacer una broma.*) Anda, Elena, síguales haciendo un strip-tease aquí a los amigos, mientras yo les traigo la harina: «Tariro, tariro...»[7].

    (*Entra en el cuarto canturreando música de strip-tease, y se le oye seguir cantándolo dentro. Como la puerta ha quedado entreabierta y pueden acercarse y mirar lo que pasa dentro,* CHUSA *trata de llamar la atención para que dejen de estar pendientes de él.*)

CHUSA. (*A* ELENA.) Vas a coger frío, y tú, Alberto, también. Estás guapísimo en calzoncillos. Nos podríamos desnudar todos, y así estábamos todos igual... (*Tararea ahora la misma música de* JAIMITO.) «Tariro, tariro...»

    (*De pronto aparece en la puerta del cuarto* JAIMITO *con la ropa de policía de* ALBERTO *a medio poner, pistola en mano apuntando nerviosísimo.*)

JAIMITO. ¡Manos arriba! ¡Aquí la policía! ¡Os mato si os movéis! ¡Arriba las manos! ¡Arriba las manos ahora mismo, y suelta eso! ¡Y tú! ¡Drogadictos, a la comisaría los dos, y a la cárcel! ¿Es que no oís? Cuento tres y disparo: ¡Una, dos y tres!

---

    [6] Vale aquí esta expresión por «no te portes mal».

    [7] Evocación fonética (onomatopeya + entonación, en la realización escénica) de la música con que van acompañadas sesiones de este tipo.

(De pronto se le escapa un tiro, que hace que todos reaccionen: ALBERTO *y las dos mujeres tirándose al suelo, y* ABEL *y* NANCHO *abriendo la puerta y desapareciendo escaleras abajo a toda velocidad.* ALBERTO *se levanta, va hacia* JAIMITO, *que se ha quedado paralizado mirando la pistola, se la quita, va a la puerta y sale detrás de ellos en calzoncillos. Se le oye fuera hablar con alguien.)*

OFF ALBERTO. No, no es nada, padre. No se preocupe. Es que se me ha disparado al limpiarla, sin querer. ¿Un agujero en la pared? Ponga usted otro tapón.

(Entra y cierra. Coge su ropa que se está quitando JAIMITO, *y se la pone.* ELENA *se viste también.)*

ALBERTO. Era el cura. Esos están ya a diez kilómetros. *(Mira a* JAIMITO.) Tú estás pirao. Si nos das a uno, ¿qué? pero ¿has visto dónde has apuntado?

JAIMITO. Se me ha escapado, Alberto, de verdad. No sé lo que ha pasado.

ALBERTO. Ha pasado que has quitado el seguro, y casi matas a alguien. Has apretado el gatillo, si no no se dispara sola. Eso es lo que ha pasado. ¡La madre que le...! Trae la gorra, anda...Inútil.

CHUSA. Ya está bien. Gracias a él no nos ha pasado nada, con tiro o sin tiro.

ELENA. Voy a devolver.

CHUSA. Pues échalo en el water, guapa, a ver si nos colocas aquí el zumo.

JAIMITO. *(Sorprendidísimo aún de su propia heroicidad.)* Anda que... *(A* CHUSA.) ¿Te has fijado? *(Simula con la mano la pistola y hace el tiro con la boca, soplando después el cañón.)* ¡Pum...! *(Le da la risa.)*

CHUSA. *(Siguiéndole.)* Muy bien, pistonudo. ¿Has visto cómo corrían? Y la cara que han puesto cuando te han visto salir con la pinta esa y la pistola. Es que parecías del Oeste. *(Se ríe también.)*

ALBERTO. *(Acabando de vestirse.)* Eso, reíros. Casi matas a alguien, me puedo buscar un follón por tu culpa, y os reís.

JAIMITO. Como vi que ibas tú a..., pues yo...

ALBERTO. No es lo mismo. ¿Pero tú te crees que se puede manejar una pistola sin saber? Y yo no iba a disparar, ni mucho menos. ¡A quién se le ocurre liarse a tiros! Si estaban ya medio convencidos. Dos minutos más, y tan amigos. Como mucho ponerte el uniforme, o coger la pistola y darles un susto en último extremo, pero no ponerse a disparar, que estás loco.

CHUSA. Y dale.

ALBERTO. No se te ocurra volver a tocarla. ¿Me oyes?, que no tienes ni puta idea de nada. Una pistola es muy peligrosa, las carga el diablo[8]. *(Se ha acabado de vestir, y ahora ilustra, pistola en mano, su disertación.)* Si no sabes, se te disparan por nada.

(Como para mostrar lo que dice, maneja la pistola, apunta, y dispara, metiendo un tiro a JAIMITO en el brazo izquierdo. Se quedan todos de piedra.)

JAIMITO. ¡Huy, la...! ¡Que me ha dado un tiro éste...!

ALBERTO. Perdona. Se me ha disparado...Joder...

JAIMITO. *(Intentando sentarse.)* Me parece que me mareo. Sí, me mareo. Me voy a desmayar...¡Ay!

(ELENA, que ha salido del lavabo al oír el tiro, al ver así a JAIMITO, le dan de nuevo arcadas y vuelve a entrar.)

---

[8] Alberto profiere una frase tópica acerca de las armas de fuego.

CHUSA. *(Sujetando a* JAIMITO.) ¡A un hospital! *(Habla a* ALBERTO, *que sigue mirando sin reaccionar.)* ¡Hay que llevarle a un hospital, o a la Casa de Socorro...!

ALBERTO. *(A* JAIMITO.) Has quitado el seguro, no me dices nada, y te pones ahí delante.

CHUSA. Deja de decir memeces. Hay que llevarle a algún sitio. ¡Una ambulancia!

JAIMITO. ¡No, en una ambulancia no, que me da mucha aprensión! Mejor en un taxi. Me mareo, me estoy..., se me va la...,

CHUSA. *(A* ALBERTO.) Sujeta, que se cae. ¡Que se cae!

(Le cogen entre los dos, medio desmayado, y van hacia la puerta. Abren y van a salir, cruzándose en ese momento con DOÑA ANTONIA *que llega.)*

DOÑA ANTONIA. ¿Pero qué hacéis? ¡Anda que...! Luego decís que fumar eso no es malo, ¡Virgen Santísima!

CHUSA. Que no, señora. Que no es eso. Es que su hijo le ha pegado un tiro.

DOÑA ANTONIA. Algo habrá hecho. Todo esto os pasa por lo que os pasa. Verás cuando se entere tu padre, con lo formal que se ha vuelto desde que ha salido de la cárcel.

ALBERTO. Así no le podemos bajar. Agua, dale agua.

DOÑA ANTONIA. Una copa de coñac es lo que hay que darle a este chico.

CHUSA. *(Va a por agua a la cocina.)* Que aquí no tenemos coñac, señora.

DOÑA ANTONIA. Lo digo por la tensión, que es muy bueno. Si hubierais estado en la reunión, conmigo, no os pasarían estas cosas.

CHUSA. *(Dándole agua a* JAIMITO, *que se recupera un poco.)* ¿Qué? ¿Estás mejor? ¿Te duele?

JAIMITO.   Estoy bien, sólo un poco mareado.

ALBERTO.   Me va a costar esto un lío en la jefatura de no te menees.

CHUSA.   Venga, deja eso ya y agarra. (*A* JAIMITO.)[9]. Vamos a bajar para llevarte a algún sitio, a que te curen. ¿Puedes?

JAIMITO.   Sí, pero en una ambulancia no.

CHUSA.   Vamos en un taxi.

JAIMITO.   Me ha dado en el brazo, aquí arriba. No lo puedo casi mover... ¡Ay!

DOÑA ANTONIA.   Pues te ha salvado Dios, porque si te da en la cabeza, o en el corazón... Has tenido suerte.

JAIMITO.   (*Mientras le sacan por la puerta entre los dos.*) Sí, suerte. yo siempre tengo mucha suerte. (*Salen.*)

ELENA.   (*Saliendo del lavabo.*) ¿Se han ido? ¡Ay, Dios mío!

DOÑA ANTONIA.   ¡Ginebra! (*Descubre la botella encima de la mesa.*) ¡Hay ginebra! Mira, si te encuentras mal, te tomas una copa de esto y se te pasa, ya verás. (*Trae de la cocina dos vasos y echa ginebra después de abrir la botella.*) Bebe, para la tensión. ¡Ay, Dios, qué hijos éstos! ¡Qué disgustos dan! (*Beben las dos.*) Mira cómo lo han puesto todo de sangre. Hay que quitarla, que si se seca no hay quien la saque.

(ELENA, *entre la ginebra que le cae fatal, y ver la sangre, tiene que ir corriendo otra vez al lavabo.*)

DOÑA ANTONIA.   Oye, ¿no estarás embarazada? Estos, cualquier guarrería. ¡Ay Señor, Señor!

(*Se sirve una nueva copa, se la bebe de un trago, y se limpia cuidadosamente la boca con un babero que saca del bolso. Oscuro, y fin del primer acto.*)

---

[9] En el texto de I y en lugar de esta breve acotación, tenemos la frase «¡Te sujetas!».

ACTO SEGUNDO

Escena primera

Han pasado varios días. El mismo escenario que en el acto primero, aunque las cosas están ordenadas de forma distinta —más convencionalmente. Alberto *ha ido a recoger a* Jaimito *al Hospital.* Chusa *anda por tierras del moro.* Doña Antonia *toma una copa tras otra de la botella de ginebra, ya casi vacía, mientras plancha la ropa.* Elena *la escucha sentada a su lado cosiendo.*

Doña Antonia. Lo peor fue el disgusto que se llevó su padre al enterarse. Es que ha salido de la cárcel hecho otra persona: serio, honrado, trabajador... Ha estudiado y todo. Ahora es universitario de carrera, como tú. Ha acabado cuarto de Económicas, así que en un año lo termina. ¿A ti cuánto te queda?
Elena. A mí más. Dos años más, por lo menos.
Doña Antonia. Fíjate. Pues muy formal ha salido, y muy educado. El sábado pasado vino conmigo a la reunión neocatecumenal, y habló. Daba gusto oírle, hija. Qué labia. Dijo que en estos nuevos tiempos hace falta que cambiemos todos, como está cambiando el país, y como él ha cambiado. Y que había que trabajar mucho, mucho para levantar

España entre todos. Así, como te lo digo[1]. Dijo que él, antes, con Franco, robaba porque robaba todo el mundo, pero que ahora, con los socialistas, es diferente. Huy, habló muy bien de Felipe González, de Guerra, del Boyer, de todos. Él se va a hacer del partido. A mí me quiere hacer también, y a los de la reunión a lo mejor. Es que hay que ver cómo se ha vuelto: serio, formal, trabajador...¡Y la suerte que ha tenido con el trabajo! Conoció allí en la cárcel a un director de un banco que había hecho un desfalco de un montón de millones[2]. Bueno, pues este señor fue el que le animó a estudiar, y el que le daba las clases allí. Ahora, como ha salido ya y es otra vez director de otro banco, pues fíjate, un puestazo que le ha dado a mi marido. Gerente o algo así. Bueno, pues a lo que íbamos, él, encantado de que Alberto trabajara en algo tan decente, ahora al enterarse del escándalo del tiro, lo del hospital, y lo de las drogas de los que vinieron, pues le ha dicho al chico que si sigue por el buen camino, que le paga los estudios para que haga el ingreso y oposiciones al Cuerpo Superior de Policía, pero que si se queda con esa gentuza, que allá se las entienda y que se vaya de casa. Que ya verá cómo va a acabar, en Carabanchel[3], o un sitio peor. Perdona, pero las cosas son como son, y tiene razón además.

---

[1] Bien puede notarse cómo, en este monodiálogo, ensarta la buena señora todo un ramillete de *slogans* que engalanan la fachada de lo que algunos críticos han dado en llamar *discurso dominante*. Semejante actitud de Doña Antonia bien puede comportar el paradigma del fiero oportunismo que en política viene observando últimamente un sector importante de la población española.

[2] En el texto de I, se añade: «y le pillaron ya en el avión sentado con una rubia, que se iban a las Bahamas».

[3] Este populoso barrio, en tiempos lugar de veraneo considerado de buen tono, hoy población satélite de la gran metrópolis, a cuyo municipio se anexionó en el 48, ha hecho que su nombre esté cargado de connotacio-

ELENA.   No, si a lo mejor en parte es verdad lo que dice.

DOÑA ANTONIA.   No va por ti, hija, que tú eres una chica estupenda, de estudios, y muy formal. Y tu madre, no hay más que verla. Una señora. Y la casa que tiene.

ELENA.   *(Dejando de coser.)* ¿Mi madre? ¿Conoce usted a mi madre?

DOÑA ANTONIA.   He metido la pata, pero en fin. No importa que lo sepas, aunque quedamos que no te diríamos nada. Hemos ido yo y Alberto a tu casa, y hemos hablado con tu madre. Menudo disgusto tiene la pobre. Es que sois de lo que no hay.

ELENA.   Sabe que estoy bien. La llamo por teléfono todos los días.

DOÑA ANTONIA.   ¡Por teléfono! ¡Ay, Dios, qué hijos! Pues nada, se llevó un disgusto.

ELENA.   ¿Mi madre?

DOÑA ANTONIA.   No, no mi marido, con lo del tiro del Jaimito ese, que es un Jaimito de verdad[4]. Él fue el que aconsejó a mi hijo para que dieran el parte de que el tiro se lo había dado Jaimito mismamente, como una imprudencia, sin querer. Que cogió la pistola, y eso. El cabeza dura no quería al

---

nes estigmáticas, debido al afincamiento en su terreno de la Prisión Provincial.

[4] *Jaimito* representa en nuestra lengua al niño entre faceto y malicioso, mezcla de ingenuidad y picardía, no exento de graciosa travesura, héroe de chistes siempre sazonados de picante y salaz chocarrería. Los *comics* o *tebeos* de Jaimito hicieron las delicias hilarantes de los consumidores infantiles allá por los 50. Cada país y lengua tiene su Jaimito.

Aplicado a personas ya crecidas, vale el apelativo de Jaimito como «chisgarabís» o «badulaque». Las resonancias cómicas del nombre tal vez deriven de la chusca imagen que suscitara el príncipe don Jaime (de Borbón y Parma, 1870-1931), pretendiente carlista a la corona, a juzgar por las chanzas que unas cuantas revistas de la época dedican al curioso personaje, que cubría su testa incoronada con un sombrero *frégoli*.

principio, no te creas. Es lo que yo me digo, ése, al fin y al cabo, le da igual[5]. No tiene oficio ni beneficio, así que... Pero a mi hijo le podían haber metido un paquete gordísimo. Hasta le podían haber expulsado del cuerpo, fíjate. Y más si se enteran de ésos que venían buscando droga, y todo el escándalo. ¡Dios mío!

ELENA. Yo me puse malísima.

DOÑA ANTONIA. Y cualquiera que tenga buen corazón. Es que eso de las drogas es terrible, hija. Tú ten mucho cuidado. Tú ni porros ni nada, que todos empiezan por poco y fíjate cómo terminan. Hasta niños pequeños de seis años se pinchan, que lo he leído en una revista. Le he dicho yo mil veces que no esté con esta gentuza, pero ya ves, les tiene cariño. A ver si tú lo consigues. Hazme caso, estudia, cásate y forma una familia como Dios manda. Si no queréis casaros por la Iglesia, pues os casáis por lo civil, como dice mi marido, que en eso es muy moderno. A tu madre, Alberto le cayó de maravilla. Tenías que haberlos visto hablando como si fueran suegra y yerno. Qué casa, cómo la tiene puesta de bien. De mucho gusto todo, hija. También yo iba a estar viviendo aquí si tuviera esa casa. Con esta mugre.

ELENA. Es que no se qué voy a decirle a Chusa cuando vuelva. Encima de que no he querido ir con ella.

DOÑA ANTONIA. No tienes por qué dar explicaciones

---

[5] Entre las construcciones agramaticales, propias del habla espontánea de una Doña Antonia, tenemos este anacoluto (cuando la forma correcta sería: «a ése... le da igual»). A lo largo de esta escena, hemos topado ya con varios solecismos cometidos por el propio personaje: «Jaimito mismamente», «yo y Alberto», «quedamos /en/ que no te diríamos nada», o el polisíndeton narrativo a base de «que... que... que...».

a nadie. Y no has ido a eso del moro porque no es decente, y has hecho muy bien.

ELENA. Como le había prometido ir con ella... Si ahora vuelve y...

DOÑA ANTONIA. No le haces caso a tu madre, y le vas a hacer caso a esa pelandusca[6] que se las sabe todas. Andaba tonteando con mi hijo, que lo sé yo. Pero ya le dije que de eso nones[7], ni hablar. Contigo es otra cosa, porque tú tienes estudios; y por tu madre. Además, ya se lo ha dicho mi marido: «Esa chica te interesa. Los otros, fuera.» ¿La tienda esa de electrodomésticos es entera vuestra?

ELENA. Sí, ¿por qué?

DOÑA ANTONIA. Por nada, hija, por nada. Es muy bonita, y qué grande. Y luego en el sitio que está, en plena Glorieta de Quevedo[8]. A esa tienda si se la trabaja bien se le tiene que sacar mucho.

ELENA. A mí no me gusta la tienda. Sólo he ido por allí dos o tres veces. Es muy hortera[9].

[6] *pelandusca,* «La mozuela perdida y que anda por las calles. Pudo llamarse así, porque las pelan por castigo» *(Diccionario de Autoridades,* t. V, pág. 189a).

[7] *nones,* forma de negación rotunda y terminante (empleada casi siempre en estilo indirecto). Procede quizás de la locución latina *non est* (de origen similar a *nones,* opuesto a *pares;* cfr. Cobarruvias, *Tesoro,* 1611, página 830b), el término aparece registrado por Juan Hidalgo en su *Vocabulario de germanía,* 1609 (reeditado por Taurus, Temas de España, núm. 51, 1967).

[8] La condición social de doña Antonia se perfila a través de esta admiración suya hacia un emplazamiento urbanístico de tan escaso relieve como es esa glorieta de Quevedo, trazada a comienzos de siglo y cuyos edificios se levantan sobre lo que fue el cementerio del final de la calle Magallanes (recuérdese Baroja, *Aurora roja*).

[9] *hortera,* palabra cuya trayectoria histórica ha ido incorporando nuevas acepciones: desde «rodaxuela que la hilandera pone en el huso...» (Cobarruvias), o «escudilla de palo, que ordinariamente usan los pobres...» *(Dic. de Autoridades),* pasando por «dependiente de comercio, generalmente con matiz despectivo» (Seco, *op. cit.,* pág. 399; es el sentido en que la utilizan Galdós, Baroja, Arniches y otros escritores de la época), hasta «vulgar y de mal gusto» (DRAE), que es la acepción con que se usa actualmente este término.

Doña Antonia.   Tú calla y a estudiar, que es lo que tienes que hacer. De la tienda no te preocupes. Ahí en la glorieta de Quevedo tenía yo una amiga, pero se mudó a Villaverde Alto[10], a un piso nuevo con vistas estupendas, y mucho sol. Bueno, pues lo que yo te estaba diciendo... ¿qué te estaba yo diciendo?

Elena.   Lo de Villaverde Alto, me parece.

Doña Antonia.   ...No, no... antes... ¿por qué te estaba yo diciendo eso? No se dónde tengo la cabeza últimamente, hija.

Elena.   Me estaba diciendo que tenía un piso muy bonito, su amiga, en Villaverde Alto. Que se había ido a vivir...

Doña Antonia.   Allí hay unos pisos estupendos, en Villaverde. Pero mejor en Móstoles[11]. Eso ha dicho mi marido. Y a acabar la carrera, que sin una carrera hoy no se va a ningún sitio. Ya ves mi marido, con cincuenta años y todo el día estudiando. Llega a casa y se pone con los libros. Quién le ha visto y quién le ve. Cómo cambia todo en España, hija. Antes es que si le ves no le conoces. Pero de eso es mejor no hablar. Ya nos dijo tu madre lo de tu padre. (Elena *la mira sorprendida de que su madre le haya hablado del oscuro incidente de la piscina.*) Checoslovaquia[12] está lejos, pero no tanto.

---

[10] *Villaverde* (Alto y Bajo), una de las ciudades-dormitorio que acordonan el sector periférico de Madrid, 6 km al sur, anexionada a la gran urbe en el 54. Desde las 100 casas de que Madoz nos habla (mediados del siglo xix) y las 25.000 almas a la mitad del presente siglo, ha llegado a albergar una gran población, tanto trabajadora como lumpenproletaria.

[11] *Móstoles,* otra ciudad dormitorio, con municipio propio, a 17 Km. de Madrid por el oeste. De las 300 casas (Madoz) y los 2.000 habitantes de mediados de este siglo, rebasa en la actualidad las 100.000 almas de otros tantos cuerpos que, en su gran mayoría, prestan sus servicios en la capital.

[12] Mediante la acotación, nos hace aquí el autor un guiño para apercibirnos de la contradicción en las explicaciones de Elena y de su madre,

Hoy en día, con los aviones..., ya verás, cualquier día se os presenta aquí, diga ella lo que diga. ¿No ha vuelto mi marido de la cárcel, que es peor? Y tan ricamente. ¡Ay, Señor, Señor! ¡Qué hombres! ¡Que todo en la vida tenga que ser siempre sufrir! Y que las cosas son como son, y que no le des más vueltas. En las reuniones nuestras neocatecumenales, que lo contamos todo, se escuchan casos que te ponen los pelos de punta. Allí desde luego lo hablamos todo, hija. Todos somos pecadores, y las cosas a la luz, que la mierda, con perdón, si no corre atasca el wáter. Las cosas claras, y el chocolate, espeso. El que bebe, va allí, y lo cuenta. Y el que le pega una paliza a su mujer, lo cuenta también, y se arrepiente, y se da cuenta de que es un pecador, que eso es lo importante [13]. A veces acabamos todos llorando.

acerca de la paternidad de aquélla. Si absurda es la primera explicación, no menos pintoresca es la segunda. Aquí se vislumbra que, según la madre, el padre de Elena tiene su paradero en aquel país centroeuropeo, sin que se expliquen los motivos ni los fines. Ahora bien, patrañas de este tipo esgrimían las madres solteras españolas en los años de postguerra para camuflar la ilegitimidad de sus retoños, diciendo, por ejemplo, que el padre de la criatura (o criaturas) había muerto en la guerra de Corea, en la batalla de Diên Biên Phu o en la campaña de Rusia con la División Azul, según el año del natalicio.

[13] También en los *cursillos de cristiandad (vid. supra,* nota 29) tenían lugar escenas de esta laya, en que un «animador» confesaba en voz alta sus pecados, con el fin de incitar a los demás a que hiciesen otro tanto. El nombre de neocatecumenal probablemente aluda (como ya se dijo) a ese afán por restablecer el estado de cosas primitivo en materia religiosa, de estas asociaciones. «Los judíos se confesaban con sus camaradas y los cristianos también, pero con el tiempo pareció más conveniente conceder este derecho a los sacerdotes.» «En la época de Constantino se confesaban públicamente las faltas. En el siglo v (...), se nombraron penitenciarios para que absolvieran a los que cometían el pecado de idolatría, pero el emperador Teodosio abolió la costumbre de confesarse con estos sacerdotes. Una mujer se acusó en voz alta (...) de haberse acostado con el diácono y esta indiscreción produjo tanto escándalo (...) que Neptario permitió a los fieles que se acercaran al altar sin confesarse y sólo escucharan su conciencia al comulgar.» «Créese que la confesión auricular no se implantó en Occidente hasta el siglo vii.» (Voltaire, *Diccionario filosófico,* Barcelona, Daimon, 1976, vol. II, pág. 95.)

Y luego las separaciones, con todo el sufrimiento de los hijos, que se los reparten como si fuesen monedas de a duro: éste para ti, éste para mí; éste me toca los sábados y los domingos, y quince días en agosto. ¡Ay, Dios mío, qué mundo éste! Yo es que enchufo la televisión y me da algo: muertos tirados por todas partes, que siempre te los sacan a la hora de comer, para más inri. Una vez fue uno allí a confesarse, ya sabes que allí nos confesamos en voz alta como te digo, delante de todos. Bueno, pues fue allí, nosotros no le conocíamos de nada, pero va tanta gente que vete tú a saber. Pues llegó allí, y empezó a decir guarrerías que había hecho con otro tío. ¡Qué vergüenza! A mí esas cosas me dan mucho asco, qué quieres que te diga. Hay cosas que no se deberían confesar, o no dar tantos detalles, por lo menos. No eran artistas, ni nada. Era un albañil en paro y un mecánico de un taller de motos. ¡Si llegas a escuchar las cosas que contó que estuvieron haciendo... en un solar en medio de un descampado, como animales! Al final se cayó al suelo, devolvió... un desastre. Yo creo que es que estaba completamente borracho. ¡Lo que no veremos allí! ¿Y las guarradas esas de las revistas, con todas esas marranas poniendo el culo como para que les pongan una inyección? Yo acababa con eso en dos días [14]. Así va todo. Es que pasas por un quiosco y hay que mirar al otro lado. Hay algunas que traen posturas de estar... tú me entiendes. Y el cine, y la televisión, que te meten una teta en la sopa en cuanto te descuidas. Y en color ahora es mucho peor. Parece carne de verdad. Ahora que yo cambio de canal.

---

[14] Nótese la contradicción del personaje entre su contemporización con el nuevo poder establecido y su fuerte raigambre en una ideología reaccionaria.

Alberto es muy serio, y muy buen chico. Ya ves, policía. Así que tú hazme caso, por el buen camino. Ya verás luego la alegría que dan los niños, sí, mujer, y el hacerlos, que hablando claro se entiende una mejor, y hay cosas que están muy bien en la vida si se hacen decentemente y como Dios manda. Mi marido ha dicho que os regala el vídeo. Claro que por otro lado, teniéndolo vosotros en la tienda es una bobada comprar uno. Y un día te tienes que venir conmigo a la reunión aunque sólo sea para verlo. Hay días que está muy bien, no creas que siempre es igual. He cogido un catarrazo... *(Busca un pañuelo en su bolso, y vemos aparecer por él montones de corbatas que lleva dentro.)* ¡Ay, Dios mío, Dios mío! Y que cuando no es una cosa es otra. Qué mona es esa blusa. *(Se da cuenta cómo* ELENA *mira las corbatas.)* Son para mi marido. Ahora gasta muchas corbatas. Como estaban rebajadas...

(Está guardándolas en el bolso cuando abren la puerta y entran ALBERTO *y* JAIMITO, *el primero vestido de policía, como siempre, y el otro con el brazo izquierdo en cabestrillo.* DOÑA ANTONIA *cierra el bolso como puede, y recibe al recién llegado del hospital con fría cortesía.* ELENA *se le acerca con cariño.)*

JAIMITO.   Hola, buenas. Qué tal, doña Antonia. Hola, Elena, cómo estás.

DOÑA ANTONIA.   Pues mal, ya ves. Con un catarrazo.

ELENA.   Estás muy bien. Se ve que te han cuidado mucho en el hospital. Y el brazo, ¿te duele?

JAIMITO.   No, ya nada. Sólo lo tengo que llevar así unos días, por precaución, pero no noto nada. Está ya bien.

ELENA.   Siéntate, ¿no?

(JAIMITO *capta el cambio operado en la casa en los días que ha estado en el hospital. Y se siente un poco fuera de su territorio.*)

JAIMITO.   ¿Y qué tal por aquí?

ELENA.   Bien, normal, nada de particular, ¿verdad Alberto? Desde que se fue Chusa de viaje..., nosotros aquí, solos.

(Se da cuenta de que está tocando un tema delicado. JAIMITO mira enfrente de él a ELENA, ALBERTO y la madre. Y les nota distantes y violentos.)

ALBERTO.   ¿Quieres tomar algo, un café o cualquier cosa? ¿Has comido?

JAIMITO.   Sí, sí. No, no te preocupes. No quiero nada. Ya te he dicho que estoy bien, normal. Pero gracias de todas formas.

ELENA.   Te hemos recogido lo de las sandalias. Está en el cuarto. Como no estabas. Además, con el brazo así no podrás trabajar ahora.

JAIMITO.   No te preocupes. Está bien.

(Pausa larga y tensa. DOÑA ANTONIA se levanta de su asiento.)

DOÑA ANTONIA.   Bueno, yo me voy, que me van a cerrar. *(A ALBERTO y ELENA.)* ¿Venís a cenar a casa, no? Pues hasta luego. No lleguéis tarde, que ya sabes cómo se pone tu padre. *(A JAIMITO.)* Y adiós, tú, que te mejores. *(Sale.)*

(Quedan sólo los tres. Pausa.)

ELENA.   ¿Qué tal aquel señor que estaba contigo en la habitación, el de la otra cama?

JAIMITO.   Salía también hoy o mañana; le dan el alta ya.

ELENA. ¿Y qué tal ha quedado?

JAIMITO. Bien. Cojo, pero bien. Le han envuelto la pierna que le han cortado en un paquete, se la han dado, y hala, para el pueblo.

ELENA. Qué tonto eres.

JAIMITO. Es la verdad. Le van a poner ahora una a pilas.

ELENA. (Se ríe.) Era muy simpático. Y muy gracioso.

JAIMITO. A ver qué iba a hacer. Reírse. Todo el mundo allí se estaba todo el día riendo. ¡Unas carcajadas por los pasillos! (Pausa.)

ELENA. Estábamos planchando unas cosas. (Recogiendo.)

ALBERTO. Dentro de unos días, cuando estés ya bien, tienes que pasarte por la comisaría, por lo de la declaración.

JAIMITO. Bueno. Cuando tú digas.

ALBERTO. Tampoco corre tanta prisa. Dentro de dos o tres días.

(Dan golpes en el tabique del vecino. Se oye una voz al otro lado.)

OFF VECINO. ¡Oye! ¡Que te llaman por teléfono!

ALBERTO. (A gritos también.) ¡Un momento, que voy!

(Sale ALBERTO. JAIMITO mira aquello sin entender nada.)

ELENA. Es el cura. Es muy simpático. Nos hemos hecho amigos. Vino un día a por sal, y empezamos a hablar, a hablar... Nos viene muy bien, sobre todo por el teléfono, como dice Alberto. Ya no dice misa en las monjitas. Ahora le han contratado en un colegio y ya no está enfadado. Nosostros casi no ponemos música tampoco. Dice que en las monjitas le pagaban fatal, y que esos madrugones le estaban volviendo neurótico.

167

Es muy amable y muy educado. Ahora está muy liado con eso de la LODE. El otro día nos dijo que si le acompañábamos a la manifestación, pero Alberto no puede ir a manifestaciones. Además le dijo su padre que en eso no hay que meterse. Es joven y majo, aunque sea cura. Es del Atleti [15], y como Alberto es del Madrid, han tenido cada discusión...

(Acaba de guardar la ropa planchada.)

No me he acordado de preguntarte si querías que te planchara algo...

JAIMITO.   ¿Eh? No, no. Gracias, pero no hace falta.

ELENA.   Cuando nos llaman por teléfono, nos avisa así, por el agujero. Viene bien, ¿no? Quita el tapón y servicio directo. Y si algún día nos entran ganas de confesarnos, nos confesamos por ahí [16].

(Entra ALBERTO. Trae muy mala cara. Cierra la puerta de un portazo.)

ALBERTO.   Han cogido a Chusa. En el tren. Le han pillado con todo. La tienen en el cuartelillo de la estación. ¡Qué follón, Dios!

JAIMITO.   ¿Que la han cogido? ¿Y está en Atocha? ¿Qué más te han dicho?

ALBERTO.   Eso, nada más.

JAIMITO.   ¿La comisaria está allí mismo, en la estación?

ALBERTO.   Sí, dentro. La tendrán allí unas horas. Luego

---

[15] Apócope con que popularmente es designado el equipo «colchone-ro», Atlético de Madrid (h. 1947, Atlético de Aviación).

[16] Esta pirueta de ligero matiz irreverente (y, si se nos permite la expresión, de sátira «neoerasmista») nos trae a la memoria otro breve pasaje del autor: «LEANDRO. —Padre, si las cosas van mal..., nos dice unas misas..., ¿eh?, ¿que no es momento de bromas?, ¿qué quiere, que nos pongamos a llorar...? (...) *(A TOCHO.)* ¡La madre que le...!, dice que podemos confesarnos por teléfono en caso de necesidad.» *(La estanquera de Vallecas,* cuadro IV.)

la pasarán al Juzgado de Guardia, y de ahí, a Yeserías [17].
Con todo lo que tenía encima va derecha a la cárcel.
¡Vaya un lío!

JAIMITO. ¿Pero cómo, cómo...? ¿Cómo la han cogido?

ALBERTO. Pues cogiéndola. Vosotros os creéis que la policía es gilipollas. Hace una hora que está allí. Encima ha dado esta dirección. Han llamado a un vecino para que nos avisara de que estaba allí, y para comprobar si la ha dado bien. Ahora se pueden presentar aquí cuando les dé la gana.

(JAIMITO *coge una cazadora y se la pone. Mira a ver si lleva dinero y el carnet de identidad. Va hacia la puerta.*)

---

[17] *Yeserías* es el nombre bajo el que se conoce el Complejo Penitenciario Femenino de Madrid, afincado, desde 1974, en la calle Juan de Vera, junto al paseo de las Delicias. (Con anterioridad a dicha fecha, la cárcel de mujeres radicaba en la calle Alcalá, cerca de Ventas, y antes aún —desde 1842—, en la calle de Quiñones: en el antiguo convento de Montserrat.) Tal vez le venga el nombre del hecho de haber sido fundado en el paseo de Yeserías (no lejos del lugar que nos ocupa), en 1886 y por iniciativa del entonces propietario de *La Correspondencia de España,* Manuel M.ª de Santa Ana, el asilo de San Luis y Santa Cristina, destinado en principio a vendedores ambulantes de su diario sin casa ni cobijo, así como a músicos pobres y callejeros; mas pronto convirtióse el edificio en refugio de cualquier menesteroso. Con posterioridad hízose cargo del mencionado centro el Municipio, que lo utilizaría para fines no tanto filantrópicos cuanto de condena: «CLARITA. —¿Qué haces aquí? CAPÓ. —Oposiciones a que me ahueque el maestro. Te veo en el taller sin verte y salgo a verte y... no te veo. Esta es la sexta vez que salgo hoy... ¡Ya era hora! CLARITA. —Pues yo te veo de mecánico en Yeserías... CAPÓ. —Pues tú tendrás la culpa...» *(La del manojo de rosas,* de R. de Castro y Anselmo C. Carreño, con música de P. Sorozábal.) Esta función de centro presidiario cumplía, al parecer, el pabellón de Juan de Vera antes de trasladarse al mismo la cárcel de mujeres (función probablemente encomendada tras la demolición, con otros edificios, de su congénere del paseo de Yeserías). «—Una lástima, en Yeserías no podrá asar ningún pollo, ni necesitará timbres. Le pondrán un camisón de estameña y la soltarán en una celda llena de tortilleras. ¿Habrá oído hablar de las cárceles de mujeres, verdad? Son horrorosas, se cogen toda clase de vicios y enfermedades. En fin...» (Juan Madrid, *op. cit.,* página 65.)

JAIMITO. Voy a ir, a ver si puedo verla, o hacer algo... ¿En Atocha?

(Sale. ALBERTO y ELENA se miran.)

ALBERTO. Recoge tus cosas y márchate a casa con tu madre. Pueden venir aquí. ¡Esta tía también...! ¡Anda que...!

ELENA. *(Empieza a recoger.)* ¿Y cómo la habrán cogido en el tren?

ALBERTO. Yo qué sé. Porque es tonta del culo. Se habrá puesto a fumar allí, y a dar a la gente... Hay que largarse de aquí rápido. Se lo he dicho veinte veces, que un día les iban a..., pues nada. Yo no sé qué se creen. *(Se pone a ayudarla a recoger.)* Si es que no puede ser. No puede ser...

(Oscuro.)

ESCENA SEGUNDA

Ha pasado casi un hora. En escena ALBERTO, *solo, recogiendo a toda prisa sus cosas y metiéndolas en maletas y cajas de cartón. Se abre la puerta de la calle y aparece* JAIMITO.

JAIMITO. *(Entrando.)* Nada, que no me han dejado verla. Y encima casi me gano un par de hostias. *(Se da cuenta de lo que está haciendo* ALBERTO.*)* ¿Qué pasa? ¿Qué estás haciendo?

ALBERTO. *(Muy incómodo de que haya vuelto antes de que le diera tiempo a recoger y marcharse.)* Ya lo ves. Recogiendo mis cosas.

JAIMITO. ¿Recogiendo? ¿Por qué? ¿Qué ha pasado? ¿Y Elena?

ALBERTO. Se ha ido.

JAIMITO. ¿Que se ha ido? ¿Adónde? Para un momento, ¿no? Deja ya eso. ¡Para!

ALBERTO. Oye, me voy. Es en serio.

JAIMITO. ¿Que te vas? ¿Dónde te vas?

ALBERTO. *(Sigue recogiendo.)* A casa de mis padres.

JAIMITO. Alberto, no te comprendo, de verdad. Chusa está detenida, ¿no te das cuenta? Tienes que ir tú, que a ti sé que te dejan entrar y hacer lo que puedas...

ALBERTO. Lo siento.

JAIMITO. ¿Que lo sientes? Estás aquí, llevándote tus cosas... ¿Y lo sientes? Pues no lo sientas tanto y haz algo.

ALBERTO. ¿Qué quieres que haga? No puedo meterme en ese lío, no sé cómo no te das cuenta, y menos después del tiro tuyo ese.

JAIMITO.   Dirás del tuyo, el que me diste, ¿no?

ALBERTO.   Del que sea, para el caso es lo mismo. No puedo meterme, me la juego.

JAIMITO.   ¿Y ella? ¿Ella no se la juega? Tú has dicho antes que si no se la saca de ahí la llevan a Yeserías.

ALBERTO.   Tú no entiendes de esas cosas, así que cállate.

JAIMITO.   Tú sí, ya lo veo. Tú entiendes demasiado.

(Se queda mirándolo fijamente. El otro sigue recogiendo.)

ALBERTO.   Os he dicho un millón de veces que no quería saber nada de vuestros rollos. Conmigo ya no contéis más. Se acabó. Ya está bien. Ella sabía que si iba a por hachís la podían coger, ¿o no? Pues la han cogido. Hay que atenerse a las consecuencias de lo que se hace en la vida, coño, y no andar liando siempre a los demás para que le saquen a uno de los jaleos. Además, ahora no se puede hacer nada ya.

JAIMITO.   Lo mejor es hacer la maleta, ¿verdad?, y largarse. Hay que joderse.

(ALBERTO sigue a lo suyo y JAIMITO, haciendo de tripas corazón, intenta entrarle con un nueva estrategia.)

Por favor, venga, somos amigos, ¿no?, por favor te lo pido, aunque sólo sea verla un momento y hablar con ella. Luego ya te vas si quieres, pero ahora... Hablas con los de allí, por eso no te va a pasar, nada, o que me dejen entrar a mí si no, que soy su primo... A ver si le van a pegar o le hacen algo...

ALBERTO.   Venga, no digas idioteces. No le hacen nada. Sólo la tienen allí, la interrogan y le quitan lo que sea.

JAIMITO.   Vamos un momento, anda, por favor... *(Le sujeta.)*

ALBERTO.   Suéltame.

JAIMITO.   ¡Qué cabrón eres! Pues de aquí no sales, así si vienen te agarran aquí. *(Se pone delante de la puerta.)* Pienso decir que eres el que pones el dinero y el que lo hace todo, ¡para que te jodas! ¿Me oyes bien? *(Se acerca a él y le agarra.)*

ALBERTO.   ¡Que me sueltes! ¡Suéltame, que te...!

(Le da en el brazo herido sin querer al forcejear. JAIMITO se repliega agarrándose con dolor.)

Lo siento. ¿Te he hecho daño? Perdona. Tienes que entenderlo. Haré lo que pueda, pero más adelante; ahora me voy. Puedo irme cuando quiera, ¿no? ¿O es que me tengo que quedar aquí a vivir con vosotros toda la vida? Tu estás jodido por lo que estás jodido. Pues lo siento, tío, Elena se viene conmigo. Nos vamos juntos, y nos vamos. Y ya está. Qué se va a hacer. La vida es así, no me la he inventado yo. Y Chusa..., tampoco se va a morir por esto. Le pasa a más gente y no se muere. Aquí cada uno hace lo que le conviene, ¿o me ha preguntado ella a mí acaso si me parecía bien que fuera a eso? Yo no me meto, te lo he dicho, así que... ¡Yo no soy el padre de nadie aquí, coño! No sé cómo no te das cuenta de que si me ven ahora con vosotros me la cargo.

JAIMITO.   ¿Te lo ha dicho eso también tu padre?[1].

ALBERTO.   No metas a mi padre que no tiene nada que ver.

---

[1] La salida resentida de Jaimito representa un guiño intencionado del autor: la presencia del padre de Alberto (aunque ausente en escena) ha supuesto la vuelta al orden establecido, custodiado por quienes, tiempo atrás, eran bien paladines o secuaces de una rebeldía desestabilizadora.

JAIMITO.   Anda, tío, pues vete. Vete a tomar por culo de aquí[2], que no te quiero ni ver. Y llévatelo todo bien. Lo que dejes aquí lo tiro por la ventana.

ALBERTO.   Si te pones así, mejor.

JAIMITO.   Claro, mejor. ¡Qué madero eres y qué cabrón! (ALBERTO *se revuelve echando mano a la porra instintivamente al sentirse insultado.*)

JAIMITO.   Sí, eso, saca la porra y dame con ella. Así te quedas a gusto. ¡Tu puta madre!

ALBERTO.   (*Va hacia él.*) ¡Ya! ¡Vale ya, ¿eh?! ¡Vale!

(JAIMITO *le da un golpe fuerte al casette, que está encima de la mesa, tirándolo al suelo.*)

¡Que es mío! ¡Qué pasa! ¡Que te meto una que te...!

(*Le agarra y pelean, arrastrando todo lo que encuentran a su paso en medio de un gran jaleo. En esto se abre la puerta y entra* ELENA. *Al verla entrar se separan, arreglándose automáticamente la ropa y el pelo.* ELENA *se queda parada al ver lo que está pasando.*)

ELENA.   (*Casi sin voz.*) Hola. Está el coche de mi madre abajo. (*A* ALBERTO.) Tienes sangre en el labio.

(ALBERTO *entra en el lavabo y ella detrás.* JAIMITO, *sentado en una silla, mira como un autómata la pared.*)

DOÑA ANTONIA.   (*Entrando por la puerta que* ELENA *ha dejado entornada.*) Venga ya, que estamos en doble fila y va a venir la grúa. (*Sin enterarse de nada de lo que está pasando.*) Hola, tú, qué tal el brazo. ¿Nos ayudas a bajar los paquetes? (*Él no se mueve. Habla*

---

² *a tomar...de aquí,* locución ponderativa de distancia, «muy lejos de aquí».

ahora a los otros que salen del lavabo.) ¿Todo esto hay que bajar? No va a caber en el coche. *(A* ELENA.*)* Tu madre no puede subir a ayudar; no va a dejar el coche solo para que nos lo roben. Yo cojo esto, que pesa menos. *(Sale cargada con unos paquetes pequeños.)*

ALBERTO. *(Con un pañuelo en el labio. A* ELENA.*)* Coge tú las cajas. Yo llevo las maletas.

(Cargan con todo lo que pueden, sin mirar a JAIMITO, *intentando acabar lo antes posible, y salen. Queda la puerta de la calle abierta de par en par.* JAIMITO *se levanta lentamente, se acerca a ella y la cierra de una patada. Luego se vuelve a sentar. Llaman a la puerta. Se levanta y abre.)*

DOÑA ANTONIA. *(Entrando.)* Que se han dejado esto. *(Coge el casette que seguía tirado en el suelo.)* ¿Sabes si hay algo más de ellos por aquí? *(Él no contesta.)* Bueno, pues si acaso ya pasarán a recoger lo que sea otro día. Lo dicho, que te mejores.

(Sale con el casette, volviendo a dejar la puerta abierta. Él se levanta otra vez y está a punto de cerrarla de nuevo con una patada. Luego la cierra despacio con la mano, se recuesta en ella una vez cerrada y mira desde allí la habitación vacía. Va después a la cocina, y vuelve con unas hojas de lechuga en las manos. Llega hasta la jaula del hámster.)

JAIMITO. Toma, Humphrey, lechuga, come. ¿Está buena? A la Chusa le darán la comida también así, por las rejas. ¿Quieres más? Desde luego es que te lo tienen que hacer todo. Te lo tienes montado a lo

Onassis[3]. Como un faraón ahí, pasando de todo. Sólo te faltan las pirámides. Si quieres que te diga la verdad, Humphrey, estoy hecho polvo. Tela de chungo estoy. No, no es el brazo, eso no duele ya, un tiro no es nada. Bueno, si te lo dan a ti, que eres un pequeñajo, a lo mejor te espachurran. Lo que duele es lo otro. ¿Qué le habré visto yo a esa gilipollas? ¿Pero tú te has fijado? Si está en los huesos, ni tetas ni nada, y una cara de tonta que no se lame[4]. Cada vez que iba a verme al hospital me sentaba peor que la penicilina. Por cierto, que tú no has aparecido por la cuatrocientos veintidós, sinvergüenza. Hay que ir a visitar a los amigos cuando les dan un tiro. Ya lo sabes, para la próxima vez. En el hospital se estaba bien. Era un poco triste, pero tranquilo. Lo peor eran las vistas. Mi ventana daba justo enfrente del depósito de cadáveres. Un palo, tío. Cada vez que me asomaba me daba un bajón. Pero tranquilo; me iba al pasillo, y paseo va, paseo viene. Allí todos te cuentan la vida. En cuanto te ven se te acercan, y que si la tía, que si el padre, que si yo soy el más enfermo de toda la planta, que no me entienden los médicos... A veces dos, uno de cada brazo a la vez. ¿Tú crees que esto se me pasará? ¡Quieres dejar de dar vueltas de una vez a ese cacharro! No sé cómo no te hartas ya de la rueda esa. No puedo respirar. ¿Has estado enamorado alguna vez, Humphrey? No te lo aconsejo. Claro que tú también, ahí metido, como no te enamores

---

[3] *a lo Onassis,* alusión al potentado armador griego (naturalizado argentino) Aristóteles Sócrates Onassis (Esmirna, 1906-París, 1975), fundador de la compañía aeronáutica griega Olympic Airways.

[4] *que no se lame,* segundo miembro de oración consecutiva (vacío de contenido literal), que refuerza en tono despectivo lo expresado en el primer miembro. (Equivaldría aquí a la locución «que no puede con ella», por ejemplo.)

de una mosca que pase. Yo, antes de esto, sólo lo de aquella chica de Simago. No te preocupes, que no te lo cuento otra vez. Pero no era como ahora. Ahora es peor, la otra malo, y ésta peor. ¡Qué cabrón el Alberto, madero, que es un madero! Es ridículo. Esto es ridículo... *(Se suena disimulando las lágrimas.)* Estoy un poco constipado, sabes. Sí, te lo juro. Soy un ridículo, por mucho que te empeñes, lo soy y ya está. Un idiota. ¿Quieres más lechuga? ¡No te comas el dedo, coño! Ahora que porque estaba yo en el hospital, si no, de qué. Ese siempre hace lo mismo. Como sabía que si me quedaba aquí ella se iba conmigo, me da un tiro, y al hospital. Y claro, como estaba triste, y sola... Además, le ha ayudado la madre, la lagarta gorda esa que dice siempre que tú eres una rata. Y la Chusa por ahí, de crucero. Es que se ha juntado todo, Humphrey, te lo juro. ¿Te estás durmiendo? ¿Ahora encima te duermes? Desde luego... No te vuelvo a contar nada, te pongas como te pongas.

(Se aleja de la jaula y hace movimientos por la habitación que recuerdan a los del hámster. Incluso da vueltas a una rueda parecida que hay sobre la mesa, e, inconscientemente, se acaba de comer la lechuga que le queda en la mano.)

Lo peor es lo mal que se respira. Eso es lo peor. ¿Te acuerdas, Humphrey, cuando te dejó a ti la Ingrid [5]?

---

[5] Alude, claro está, a la actriz sueca Ingrid Bergman (1915-1982), que encarnó el personaje femenino Ilsa Luna (coprotagonista de la película *Casablanca,* junto con Rick, representado por Humphrey Bogart). Jaimito se refiere al episodio (crucial para la trama) donde se recuerda (salto atrás en el tiempo) cómo Ilsa dejó a Rick abandonado en París, para volver con su marido.

(Coge la flauta de la pared, se sienta, y se pone a tocar muy melancólicamente la canción de la película «Casablanca» [6]: *«Remember always this, a kiss is just a kiss...»* [7]*. Oscuro.)*

---

[6] Es el conocido *leit motiv* de esa gran creación que ha marcado un hito en la historia del cine, dirigida por Michael Curtiz (Budapest, 1888-Los Ángeles, 1962), director asimismo de los films *Robin de los bosques, Los crímenes del museo de cera, El capitán Blood* o *Los comancheros,* entre otros. Se trata del motivo musical en cuyas notas (al piano y en la voz del negro Sam) se desgranan los nostálgicos recuerdos amorosos de Rick e Ilsa. *Casablanca* representa en nuestra época un lugar de cita, un comodín de varia referencia: «MERCHE. —(...) Y si me necesitas silba. / BLANCA. —De acuerdo, Bogart.» (Fermín Cabal, *Caballito del diablo,* cit.). «—*Narcís, tenim «Casablanca»?* / —*La tenim.* / —¿Se siente bien? —pregunta la joven cliente que quiere darle una sorpresa a su marido el día de Reyes, porque su marido se pirra por la Ingrid Bergman. (...) Y Narcís pone *Casablanca* en el televisor probador de los videocasetes. Un pitido constante consigue inutilizar los efectos sentimentales de *El tiempo pasará,* pero la cliente desea la película...» (M. Vázquez Montalbán, *La Rosa de Alejandría,* Barcelona, Seix Barral, 1984, pág. 43).

[7] En el texto de I, el entrecomillado que hace referencia a la canción «El tiempo pasará», es el siguiente: *«Sam, I told you never to play...»*

Han pasado dos días. Es media tarde. La escena, vacía. El hámster en su jaula sigue dándole vueltas a la rueda. Se abre la puerta de la calle y entra CHUSA, *con las bolsas en las manos.*

CHUSA.   ¿Hay alguien? ¿No hay nadie?

(Se abre la puerta del lavabo y sale JAIMITO, *calado, de la ducha, medio tapándose con una toalla. Sigue con su brazo en cabestrillo.)*

JAIMITO.   *(Sorprendido.)* ¿Qué haces tú aquí? ¿Pero no estabas en la cárcel?

CHUSA.   Me han soltado, ya lo ves.

JAIMITO.   ¿Que te han soltado? ¿Pero cómo que te han soltado?

CHUSA.   Parece que no te gusta. Me han soltado porque me han soltado. ¿O querías que me tuvieran allí toda la vida?

JAIMITO.   Después del lío que he armado para que un abogado fuera a verte esta tarde... Ahora irá y no estás allí. No sé qué le voy a decir, después del rollo que le he tenido que meter. Es muy bueno, se llama Alfredo Alonso, y le he estado explicando todo...

CHUSA.   Sécate, que vas a coger un trancazo si sigues ahí calado.

(Él se mete en el lavabo, y con la puerta abierta sigue hablando desde allí. CHUSA *empieza a sacar las cosas de las bolsas y a meterlas en su armario.)*

JAIMITO.   Iba a ir esta tarde, fíjate. Con lo ocupado que está...

CHUSA. Bueno, pues le llamas y le dices que no vaya. ¿Dónde están éstos?

JAIMITO. Se han largado.

CHUSA. ¿A dónde?

JAIMITO. *(Sale del lavabo y se le acerca.)* Se han largado del todo; se han abierto[1], tía. Se han llevado sus cosas... Quedan esas cajas de ahí; van a venir luego a por ellas. En eso han quedado.

> *(De pronto ella toma contacto con la realidad. Ve las cajas. Luego las cosas que faltan y el cambio en la habitación.)*

CHUSA. *(Deja de guardar la ropa y se sienta muy afectada.)* ¿Pero, cómo? ¿Qué ha pasado?

JAIMITO. *(Acabando de vestirse.)* Se han largado, juntos, los dos. Los dos y sus madres. Los cuatro. Bueno, y el padre. Se van a casar. Han cogido un piso en Móstoles. El día que yo salí del hospital, y te cogieron a ti, fue todo un lío.

CHUSA. ¿Qué tal sigue tu brazo?

JAIMITO. *(Sacándole y metiéndole del pañuelo con que se le sujeta al cuello.)* Bueno, mira. Le puedo mover ya. Mañana o pasado me quito esto. Pues nada, que se han ido.

CHUSA. ¿Alberto también?

JAIMITO. ¿No te digo que se han ido los dos juntos? ¿Y cómo es que te han soltado, así, de pronto?

CHUSA. Me han tenido tres días. Allí no podían tenerme más. Me tenían que soltar o mandar a Yeserías, así que aquí estoy. Tendré un juicio cuando sea. Me pillaron con un montón, trescientos

---

[1] *abrirse*, «marcharse», «largarse». «Pero cuando yo me fui a por el corte ella se abrió de la barra. Que en eso se la veía que estaba camelada.» (L. Martín-Santos, novela cit., pág. 46.) «—A lo mejor hizo bien. Si encontrara otro *curro* me *abriría*.» (J. Madrid, novela cit., pág. 23.)

gramos por lo menos, pero la denuncia es por haberme encontrado media bola. Cincuenta gramos. Yo no iba a protestar, claro. Lo demás ha desaparecido por el camino[2].

JAIMITO. Mejor, ¿no? Por tan poco no te va a pasar nada.

CHUSA. Qué negocio tienen montado algunos. Pensaba pedirle a Alberto que mirara a ver quién se lo ha quedado.

JAIMITO. Olvídate de Alberto. Ya ves cómo ha ido a verte, y lo que se ha preocupado. Pasa de él, de verdad te lo digo. Y de ella, igual.

CHUSA. ¿Te han tratado bien en el hospital?

JAIMITO. Como a un marqués. Las heridas de bala dan mucho prestigio. Y luego, como ha ido varias veces la policía a interrogarme, allí creían que era de la ETA por lo menos. No veas los platos de comida que me llevaban. Un respeto, tía. La gente, muy maja. Y las enfermeras, de ésas que ya no quedan. ¿Y a ti, en la comisaría?

CHUSA. No me han hecho ni caso. Me han tenido allí tres días, y luego me han soltado.

JAIMITO. Oye, voy un momento a llamar a Alfredo, el abogado, a ver si no se ha ido todavía. Llamo desde la casa del cura, el de al lado. Es que éstos se hicieron amigos suyos cuando no estábamos aquí. Viene muchas veces. Es simpático; y como le gusta cocinar... Ya sabes que a mí eso de la cocina, fatal. Estos días, como estaba solo... Bueno, vengo en

---

[2] La reticencia de Chusa (esguince del autor) da a entender a las claras cómo la Policía se ha beneficiado de esa mercancía ilegal en su casi totalidad, con digno precio de su connivencia que supondrá para Chusa la leve inculpación de un tráfico de droga en mínima cuantía. «ROSCO. —Te han empapelado bien, colega... ¿Cuánto te pillaron encima? / CELES. —Unos gramos. Pero sólo me han puesto tres en la declaración. / ROSCO. —Como siempre... ¿Dónde irán a parar esas cantidades?» (F. Cabal, *op. cit.*)

seguida y hablamos. Hay té hecho, si quieres. Hasta ahora.

(Sale. Ella se queda sola. Va hasta la jaula del hámster y da unos golpes con los dedos en las rejas. Luego sigue poniendo sus cosas en el armario lentamente. Llaman a la puerta. Va a abrir creyendo que es JAIMITO *que vuelve, y se encuentra en la puerta con* ELENA. *Sorpresa por parte de las dos.)*

CHUSA.   Bueno, pasa, ¿no? No te quedes ahí parada.

ELENA.   Creíamos que estabas...

CHUSA.   Me han soltado. Si quieres sentarte... Como si estuvieras en tu casa. Ya sabes dónde está todo.

ELENA.   ¿Te ha dicho Jaimito...?

CHUSA.   Sí, me ha dicho Jaimito. ¿Quieres un té?

ELENA.   Sí, gracias.

CHUSA.   Pues cógelo, está en la cocina, ¿o te lo tengo que traer yo también? *(*ELENA *va a la cocina, y vuelve con una taza de té.)*

ELENA.   *(Bebiendo.)* He quedado aquí con Alberto para acabar de llevarnos lo que queda. Me alegro de que estés bien.

CHUSA.   Gracias. *(Pausa embarazosa.)* ¿Y qué tal tu — madre?

ELENA.   Bien. Ahora estoy viviendo allí otra vez, hasta que nos casemos. Ya tenemos el piso, en Móstoles. Si quieres puedes venir un día a verlo.

CHUSA.   No, gracias.

ELENA.   ¿Estás enfadada conmigo?

CHUSA.   No, no. Es que Móstoles está muy lejos.

ELENA.   Ahora hay metro ya.

CHUSA.   Sí, pero no. De verdad. Déjalo.

ELENA.   Oye, Chusa, tengo que decirte una cosa... Por las pelas esas no te preocupes ahora. Más adelante, cuando buenamente puedas, me las das, pero ahora me imagino que no tendrás veinticinco mil pesetas aquí... Es que como me las dejó mi madre... Y ahora además, con el piso y eso... Pero vamos, cuando tú puedas, o si puedes ahora algo, y luego poco a poco...

CHUSA.   Me cogió la policía. ¿Sabes? Me lo quitaron.

ELENA.   Pero yo sólo te lo dejé, Chusa, la verdad.

CHUSA.   Ya. Si todo iba bien, y lo vendíamos y ganábamos pelas, para las dos. Y si me lo quitaban, me lo has dejado, ¿verdad? Qué lista eres tú también.

ELENA.   Mira, yo no quiero que Alberto se meta en esto, pero él me ha dicho que te lo diga. Una cosa es ser amigos, pero el dinero es el dinero.

CHUSA.   Pues no te las voy a dar, para que te enteres. No las tengo, pero si las tuviera tampoco te las daría. Y ya te puedes ir metiendo a Alberto por donde te quepa.

ELENA.   No sé por qué te pones así. Somos amigas, ¿no?

CHUSA.   Me pongo así porque me da la gana. Y no somos amigas.

ELENA.   Estás así por lo de Alberto. Pues lo siento.

CHUSA.   Pues no lo sientas, y que te aproveche.

ELENA.   ¿Sabes lo que te digo? Que tiene razón mi madre. Así no se puede vivir. Cualquier día vas a acabar en cualquier sitio. Yo te lo digo por tu bien. Una cosa es pasarlo bien, y la libertad y todo eso, y otra cosa es como tú vives. Mi madre me ha dicho...

CHUSA.   (Cortándola.) Oye, guapa, no querrás contarme tu vida ahora. Ni la de tu madre, la de la piscina. (Muy dura. ELENA acusa el golpe. Pausa.)

ELENA.   Entonces, lo del dinero, ¿qué le digo a Alberto?, y a mi madre...

CHUSA.   Diles lo que te dé la gana.

ELENA. Anda, que también en qué hora se me ocurriría a mí.

CHUSA. Eso digo yo. En qué hora. *(Se aleja hacia la cocina. Queda* ELENA *sola. Entra* JAIMITO.*)*

JAIMITO. Ya se había ido... *(Ve a* ELENA *y se corta.)* Hola. ¿Qué tal?

ELENA. *(Va hacia él y le da dos besos amistosos.)* He venido a por las cosas. Ahora viene Alberto. ¿Qué tal el brazo?

JAIMITO. Bien, muy bien gracias. *(Pausa.)* ¿Quieres un té? *(Ella le muestra la taza que lleva aún en las manos.)* ¿Y qué tal todo? Estás muy guapa, de verdad. Pero siéntate, mujer. A Chusa ya la han soltado, ya ves qué suerte, ¿verdad? ¿Y qué tal la casa?

ELENA. Bien, la estamos amueblando. Ahora vivo con mi madre.

JAIMITO. Ya. ¿Chusa? *(Llama hacia la cocina, y nota algo raro.)* ¿Te pasa algo?

CHUSA. *(Desde la cocina.)* La saliva por la garganta [3] me pasa.

ELENA. Está enfadada. Peor para ella. Dos trabajos tiene.

CHUSA. *(Saliendo.)* ¡Eres una estúpida, eso es lo que eres! ¡Una mema, con esa carita de mosquita muerta!

JAIMITO. Bueno, déjalo...

CHUSA. *(Haciéndole burla.)* «Que me he escapado de casa porque no aguanto a mi mamaíta...»

ELENA. ¡Tú lo que tienes que hacer es devolverme el dinero que me debes!

JAIMITO. *(Metiéndose en medio.)* Basta ya, deja... Y tú... Por favor.

---

[3] Frase con la que esquivamente se responde a la pregunta «¿Qué te pasa?»

(Se abre la puerta de la calle y entran ALBERTO *y su madre. Notan el clima, y han oído además los gritos desde fuera.* ALBERTO *viene de paisano.)*

ALBERTO.   Hola, buenas. *(Acercándose.)* ¿Cómo estás?

(Va a darle un beso y ella se retira.)

CHUSA.   Muy bien, ¿y tú?

ALBERTO.   Bien. Tienes buena cara.

CHUSA.   Regular.

ALBERTO.   Ha habido suerte, ¿eh?

CHUSA.   Ya ves.

DOÑA ANTONIA.   Hala, vamos. Abreviando que es gerundio[4].

(Empieza a coger los paquetes y cosas que se encuentran junto a la puerta. Coge la flauta de JAIMITO.*)*

JAIMITO.   Oiga, señora, que eso es mío.

DOÑA ANTONIA.   Como estaba aquí...

JAIMITO.   Lo de ellos es esto, las cajas. No sé si habrá algo más. Yo he metido todo lo que he encontrado.

ALBERTO.   No, es igual, de verdad. Está bien.

CHUSA.   La mesa camilla es también en parte tuya. Te puedes llevar una pata si quieres. Y tres platos.

DOÑA ANTONIA.   Saliendo.

JAIMITO.   Yo os bajo el espejo.

ELENA.   A ver si te vas a hacer daño en el brazo.

JAIMITO.   No, está ya bien.

---

4 El lenguaje popular emplea en tono jocoso esta modalidad de imperativo: verbo en gerundio + la coletilla *que es gerundio,* aun cuando, en ocasiones, no se le dé un ardite del gerundio a quien profiere semejante frase. Así, tenemos, por ejemplo: «andando, que es gerundio», «arreando que...», etc. Sabido es que el abuso de esta forma ha merecido la reprobación de los puristas de nuestra lengua (recuérdese, entre otras, la conocida sátira de Isla).

(Salen Doña Antonia, Elena *y* Jaimito. *Despedidas frías desde la puerta. Se queda el último* Alberto, *cuando los otros ya han salido.)*

Alberto.   *(Desde la puerta.)* Bueno, adiós, Chusa. Ya hablaremos otro día más tranquilamente. Hoy está esto...

Chusa.   Alberto.

Alberto.   ¿Qué?

Chusa.   La llave. Tú ya no la necesitas para nada.

Alberto.   *(Deja el paquete en el suelo. Se busca y encuentra la llave. Se acerca a dársela.)* Toma.

Chusa.   Ahí hay un libro tuyo, el Whitman que te regalé. ¿No lo quieres?

Alberto.   No, déjalo. O sí, dámelo; lo que tú quieras.

Chusa.   Ese póster también lo trajiste tú. *(Empieza a quitarlo de la pared.)*

Alberto.   Déjalo, no quiero un póster, Chusa.

Chusa.   *(Ya arrancándolo de mala manera.)* Pues toma, tíralo.

Alberto.   Bueno, trae.

Chusa.   ¿No queda nada?

Alberto.   Oye, no me voy a la India, ni me he muerto. Voy a Móstoles. Hoy no es el momento, pero tenemos que hablar. Siento mucho que te cogieran, y todo lo que ha pasado, de verdad. Me hubiera gustado... Pero déjalo. ¿Qué es lo que te pasó? ¿Cómo te cogieron?

Chusa.   En el tren. Por hacer un favor a uno. Tenía una cara de bueno que se la pisaba, y luego era policía. *(Pausa. Le mira.)* Desde luego es que hoy en día ya no te puedes fiar de nadie.

Alberto.   Otro día quedamos.

CHUSA.   Sí, otro día. El día de los Santos Inocentes⁵.
(Va a salir él.) ¡Alberto!
ALBERTO.   ¿Sí, qué?
CHUSA.   No, nada. Déjalo. Qué mismo da.

> *(Él sale. Se cruza en el descansillo con* JAIMITO, *que vuelve. Se les ve por la puerta abierta despedirse. Luego* JAIMITO *entra y cierra. Suelta entonces una carcajada, tapándose la boca con la mano para que no le oiga el otro fuera. Viene mojado de la lluvia que cae ahora y que vemos golpea contra los cristales de la ventana. Trae en la mano una corbata chillona de lunares.)*

JAIMITO.   ¡Se ha caído la gorda! ¡De culo, en un charco! ¡Te meas⁶ si la ves! *(Risas.)* Mira, me ha regalado una corbata por ayudarles. Ha abierto el bolso, me ha dado la corbata, y ¡zas!, al charco.

> *(Se da cuenta de lo triste que está ella, y se contagia, quitándosele la risa de golpe. Se acerca a la cabeza del esclavo egipcio y le pone la corbata.)*

Bueno, pues se han ido.
CHUSA.   Sí.
JAIMITO.   ¿Y nosotros qué pintamos aquí?
CHUSA.   ¿Nosotros? Nada.
JAIMITO.   Es que hay que joderse.
CHUSA.   Ya ves.

> *(*JAIMITO *se deja caer en una butaca, y se revuelve en ella.)*

JAIMITO.   Me dan ganas de quitarme el ojo y reventar el mundo de un ojazo con él.

---

⁵ Loc. adv. con matiz irónico y valor negativo: «nunca».
⁶ Loc. braquilógica: «te... de risa».

CHUSA.   Lo único que reventaría sería tu ojo. Déjalo donde está. Estarías muy feo con un ojo sí y otro no. Parecerías un pirata de los de las películas.

JAIMITO.   Eso sí que habría sido mejor, haber nacido en la época de los piratas para montarnos en un barco con la bandera negra y la calavera, y a cruzar los mares subido al palo mayor.

CHUSA.   Te caerías y te partirías una pierna.

JAIMITO.   ¡Mejor! Cojo, manco, tuerto... Parecería el terror de los mares, cañonazo va, cañonazo viene, a todos los cabronazos con dos ojos, dos piernas y porvenir, que se me pusieran por delante. A esos dos los primeros, y a la madre, y al padre... ¡A todos! ¡A todo el que se me pusiera por delante! Ya sabes cómo las gasto yo. Acuérdate el día de la pistola la que armé. Corriendo con el culo colgando que iban esos dos chulos de mierda. Así iban a ir todos.

    (Ella se echa a llorar.)

    Venga tía, no te pongas así. ¿Quieres que te cuente el chiste ese tan malo que te hace tanta gracia: «Es que de pequeño estuve muy malito...»? ¡No jodas, Chusa!

CHUSA.   Ya estoy mejor. Perdona. Tenía aquí un nudo. Ahora ya estoy bien.

JAIMITO.   Venga, ponemos música o lo que sea... Se han llevado el casette. Bueno, pues canto yo: «...Cuando la muerte venga a visitarme, que me lleven al sur donde nací, aquí no queda sitio para nadie, pongamos que hablo de Madrid»[7]. ¿Eh, tía?

---

    [7] Jaimito entona aquí el conocido tema del «cantautor» español Joaquín Sabina, titulado «Pongamos que hablo de Madrid» (letra del cantante, música de A. Sánchez y arreglo de H. Camacho y J. A. Romero).

Si lo vemos mal nos ganamos la vida cantando,
dándole al morro. Tú tranquila, de verdad.

(*Ella va al lavabo a lavarse la cara. Él, hacia la
cocina. Dejan las puertas abiertas y se les ve. Siguen
hablando entre ellos desde lejos.*)

JAIMITO.   Voy a hacer otro té, pero especial, de los
que te gustan a ti; un quitapenas moruno a tope.
Pero no te pongas chunga, que ya verás cómo no
pasa nada. ¿Qué? ¿«Con dos terrones»? [8]

CHUSA.   (*Sale del lavabo secándose.*) Sí, dos terrones y
cucharilla de plata. (*Pausa.*) Pues nos hemos quedado un poco solos.

JAIMITO.   ¿Y yo qué? Somos dos, y dos de los que ya
no quedan, o sea, que valemos por cuatro, por lo
menos.

CHUSA.   (*Saca de su armario el álbum de recortes de*
ELENA.) Se ha dejado los recortes de su colección.
(*Lo hojea.*) «Hija, vuelve, tu madre te necesita.» Ya
ha vuelto.

JAIMITO.   Esos ya están en el bote. Su pisito, el
sueldo al mes, la tele, los niños... Bueno, como todo
el mundo; menos tú y yo, y cuatro pirados más de
la vida que hay por ahí. Si hacen bien, ¿no? (*Le da
el té.*) Toma. Cuidado, que quema. ¿Te has quemado?

CHUSA.   No. Ya estoy mejor.

JAIMITO.   Voy a liar uno.

(*Se sienta y se pone a preparar un canuto.*)

CHUSA.   Ahora a esperar el juicio encima. No creas
que lo mío...

---

8 Como es un *ritornello* melancólico, se van evocando, en este final
de la obra, algunos motivos del comienzo; el entrecomillado de la frase
marca la intencionalidad paródica para con las palabras de Elena en la
escena inicial, palabras que el actor habrá de remedar en tono cursi.

JAIMITO. ¿Y yo no? Estoy metido en un fregao también de aquí te espero. Por el tiro. Tuve que firmar que me lo había dado yo; y está muy castigado andar por ahí pegándose uno tiros a lo tonto. ¡Qué follón! ¿Tienes cerillas?

(Ella dice que no con la cabeza. Él va a la cocina. Habla desde allí.)

¡Qué mes! ¡De todo! Sólo nos ha faltado quedarnos embarazados.

(Ella se sonríe tristemente. El vuelve con las cerillas, la mira. Ella le hace señas a la tripa diciendo que sí con la cabeza.)

JAIMITO. ¿Qué? ¿Que sí? ¿Que también nos hemos quedado embarazados?

(Ella dice que sí con la cabeza.)

¡Hala! Alegría. Y ahora empezarán a caer las bombas atómicas del Rigan ese. Que no falte nada. *(Se ríen los dos.)* ¿Pero estás segura?

CHUSA. Casi segura. No me he hecho los análisis, pero por los días...

JAIMITO. ¿Y de quién es? ¿De Alberto?

CHUSA. De Alberto.

JAIMITO. ¿Lo sabe ese desgraciado?

CHUSA. No.

JAIMITO. ¿Por qué no se lo has dicho? Ahora mismo me voy a buscarle, y se lo planto en su cara para que se les joda la boda y se les amargue la luna de miel.

CHUSA. No quiero que lo sepa, déjalo [9].

---

[9] Este rechazo de Chusa a que Alberto se entere de su posible embarazo, concuerda anafóricamente con las palabras recientes de aquélla cuando la despedida de ambos (cfr. *supra*).

JAIMITO. ¿Pero por qué?

CHUSA. Porque no. Primero no es seguro del todo, y diría que no es fijo que sea de él, que puede ser de cualquiera... Se marcharía igual. Y además, no es de él. Bueno, sí es de él, pero como si no lo fuera. Yo me entiendo. Él ya no está aquí. Es un problema mío.

JAIMITO. Y mío también, ¿no? Así que estamos embarazados. Embarazados. Esto no me había pasado a mí nunca, ya ves. ¿Y qué vamos a hacer?

(Ella se levanta, sonríe, y al pasar a su lado le acaricia cariñosamente el pelo.)

CHUSA. No lo sé. Aún tenemos tiempo de pensarlo, en caso de que sea cierto.

JAIMITO. Si quieres ir a Inglaterra, por las libras no te preocupes. Eso es cosa mía. Por otro lado, tampoco estaría mal que tuviéramos un crío; así podíamos bajar juntos al moro. Con el niño en los brazos se me quitaría la cara de sospechoso [10].

CHUSA. Gracias, eres un tío.

JAIMITO. Pues sí, es lo que me parece que voy a ser. *(Se ríen.)* Tío.

CHUSA. Espera, no corras tanto, no sea que se quede en falsa alarma. Además, casi seguro que no lo tendría. ¿Qué íbamos a hacer nosotros con un niño?

JAIMITO. Anda, pues lo que hacen todos. Te imaginas, si naciera un niño ahora, qué cosas pensará luego, cuando sea mayor.

CHUSA. ¿Qué va a pensar, de qué?

JAIMITO. De la vida, de las personas, de lo que nos pasa a nosotros, de todo. Para entonces sí que dará gusto vivir, ¿a que sí? Será todo mejor.

---

[10] Otro elemento anafórico (cfr. n. 16 a la escena I del acto I).

CHUSA. Qué optimista eres. O peor. Se liarán a bombazos esos animales, y se acabó.

JAIMITO. Que no tía, que no. Eso es cosa de esta gente de ahora que está podrida. Cuando éste sea mayor será totalmente diferente. Mira, para entonces, ya nadie tendrá que ir a la mili, ni habrá ejército, ni bombas, ni coñas de ésas. Ni habrá Móstoles, ni te meterán en la cárcel, ni nada de nada. Si se te cae un ojo, te pondrán otro enseguida, pero no de cristal, como éste, no, de verdad, de los buenos, de los que se ve[11]. Y si alguien se entera de que va a tener un niño, si no quiere tenerle, todas las facilidades, pero sin irse a Inglaterra ni rollos de esos malos. Aquí, a las claras y por la seguridad social. Y si lo quiere tener, pues ningún problema, estupendo, todos encantados. Y nacerán ya de más mayores cada vez, para que no lloren por las noches, ni se caguen, ni se pongan malos. Y nada más nacer, zas, una renta vitalicia, un dinero bien, como les pasa ahora a los ricos, pues a todos. De entrada naces, y un dinero para que estudies, o viajes, o vivas como quieras, sin tener que estar ahí como un pringao toda la vida; porque todo estará organizado justo al revés de como está ahora, y la gente podrá estar feliz de una vez, y bien. A gusto.

CHUSA. Sí, jauja.

JAIMITO. Ya lo verás, tía, ya lo verás. Oye, ya estoy sin papelillo otra vez, ¿tienes?

CHUSA. No, pero voy a buscarlo a la calle. *(Se*

---

[11] El registro vivo y coloquial de este discurso incurre aquí en un anacoluto; la frase correcta sería «de los que ven» o «de aquellos con los que se ve» (si bien aquí lo gramaticalmente correcto entorpecería el ritmo del discurso dramático).

levanta.) Así me da un poco el aire. Enseguida vengo.

JAIMITO. Y no te traigas de paso a todo el que encuentres por ahí, que luego mira.

CHUSA. *(En la puerta.)* A todo el que encuentre, ¿oyes? A todo el que encuentre y no tenga adónde ir. *(Sale.)*

JAIMITO. Eres una tía cojonuda, Chusa, te lo digo yo. *(Se mira los bolsillos.)* Bueno, se llevó otra vez las llaves [12].

> *(Mira un momento a su alrededor, da un golpecito cariñoso en la jaula del hámster, saca su material de trabajo, se sienta en el colchón, y se pone de nuevo a hacer sandalias.)*

---

[12] Por último, otro elemento anafórico: también Chusa se había llevado «las pelas, y la llave» (acto I, esc. I). Por otra parte, en el texto de I, falta la acotación final.

Colección Letras Hispánicas

DE PRÓXIMA APARICIÓN